실용생활에 활용하는

신념의 위력

클라우드 M. 브라스톨 / 최봉식 옮김

지성문화사

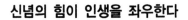

신념의 힘이 인생을 좌우한다

신념의 위력

TNT The power within you

클라우드 M. 브리스톨 / 최봉식 옮김

신념은 산을 움직이게 한다.
강한 신념은 당신에게 무한한 힘을 공급하여
당신이 소망하는 것이 무엇이든지 실현시켜 준다.
가질 수 있다고 확신하라. 그러면 당신은
반드시 그것을 갖게 된다.

만일 당신이 믿는다면 그것은 믿는 대로 된다

어느 종교가가 교도소를 방문하여 설교한 후에 하느님을 믿으라고 전도했다. 이 때 한 죄수가 시큰둥한 목소리로 물었다.

"정말로 하느님이 계십니까? 그리고 그 하느님은 전지전능하십니까?"

"그렇습니다."

"그렇다면 하느님의 실체를 이 자리에서 한 번 보여 주십시오. 내 눈으로 하느님을 볼 수만 있다면 당장이라도 믿겠습니다."

죄수의 냉소적인 말에 종교가는 나직하지만 힘있는 목소리로 이렇게 말했다.

"믿음이란 그런 것이 아닙니다. 먼저 믿으십시오. 믿으면 보실 수 있습니다."

이상의 삽화는 '믿음'의 정의에 대하여 시사하는 바가 크다. 믿음이란 눈으로 볼 수 있는 것, 손으로 만질 수 있는 현상(現像)을 믿는다는 뜻의 말이 아니다. 어디까지나 '마음의 눈'으로 보는 것을 말한다. 따라서 믿음은 가변적인 것이 아니라 경우에 따라 강화되기도 하고 약화되기도 한다. 없다가도 생길 수 있고 있다가도 순식간에 없어질 수 있다.

'신념'이라는 추상 명사도 '믿음'과 그 맥을 같이 한다. 흔히

'신념이 강하다', '신념이 약하다'라는 말을 쓰는데, 신념의 상태를 표시하는 단위가 따로 정해져 있는 것은 아니다. 또한 눈으로 확인하거나, 손으로 만지거나, 과학적으로 명백하게 증명할 수 있는 방법도 없다.

신념이란 이런 것이다. 사전의 해석을 빌리자면 '굳게 믿어 의심하지 않는 마음'을 신념이라 한다. 이 마음 상태에 따라 인간의 삶이 판이하게 달라진다는 것은 숱한 실례가 있기 때문에 의심할 여지가 없다.

이 책의 저자 클라우드 M. 브리스톨은 신념의 위력을 'TNT'에 비유했다. 신념은 활용하기에 따라 고성능 폭탄의 위력을 나타낸다는 것이 이 책의 핵심이다.

주지하고 있는 바와 같이 고성능 폭탄은 이중성을 가진 가공할 만한 무기다. 유용하게 사용하면 우리의 평화를 지켜 주고 발전의 원동력이 되지만, 그릇되게 사용하면 살상과 파괴의 무서운 흉기가 된다.

이러한 고성능 폭탄을 사람들은 저마다 가슴에 품고 있음과 동시에 그 폭탄을 스스로 조종하고 있다. 그 조종의 결과가 바로 당신의 지금의 모습이다.

이 책은 <신념의 마력>의 자매편으로 원명은 <당신의 몸 속에 있는 TNT ; TNT The power within you>이다. 그러므로 먼저 <신념의 마력>을 읽으면 한층 이해하기 쉬울 것이라고 생각한다. 그러나 이 책부터 읽더라도 무관하다. 이 책만으로도 '실생활에 활용할 수 있는 신념의 위력'을 잘 설명하고 있기 때문이다.

나는 이 책을 옮기면서 꼭 열 번을 읽었다. 먼저 내용 파악을 위해 원서(原書)를 두 번 읽었다. 그런 다음 번역을 하면서 또 한 번을 읽었다. 번역을 끝내고 원고를 정리하는 과정에서 다시 한 번 읽고, 교정을 보기 위해 무려 다섯 번을 읽었다.

열 번을 읽고 난 후의 독후감은 '실로 놀라운 책이다!'라는 감탄이었다. 열 번이나 읽었는데도 조금도 지루하지 않았다. 오히려 읽는 횟수가 거듭될수록 이 책의 내용은 내 몸에 전류가 흐르는 듯한 충격의 강도를 높여 주었다. 처음에는 그저 그런 말이려니 했던 것이 되새겨 읽어 보니 심오한 진리를 내포하고 있다는 것을 음미할 수 있었다.

"유(類)는 유를 부른다!"

저자는 이 원리를 시종일관 강조하여 말하고 있다. 즉 '사랑은 사랑을 부르고 미움은 미움을 부른다, 성공을 생각하면 성공을 부르고 실패를 생각하면 실패를 부른다.'라는 원리이다.

"유는 유를 부른다." 누구나 알고 있는 평범한 말이지만, 그 놀라운 뜻을 결코 누구나 알 수는 없는 비범한 말이다. 오직 성공할 수 있는 사람만이 이 말의 뜻을 크게 이해할 수 있다.

이 글의 첫머리에서 '종교가와 죄수'의 삽화를 말한 것은 다름이 아니다. 이 책의 주제, 즉 '신념의 위력'도 자신을 철저히 믿어야만 비로소 발휘된다는 것을 말하고 싶었기 때문이다.

철석같이 믿을 때에 신념의 힘은 발휘된다. 그 믿음이 희망적일 때는 희망적인 방향으로, 비관적일 때는 비관적인 방향으로 작용하는데, 이것은 천리(天理)에 가깝다.

만일 당신이 믿는다면, 그것은 믿는 대로 된다. 당신이 진실한 야망을 마음 속에 품고 있으면서 강한 신념을 가지고 있다면, 그 목적은 기필코 실현된다. 지지 않으려는 인간은 결코 지지 않는다.

나는 독자께 이 책의 정독(精讀)을 당부하고 싶다. 그리고 이 책의 주지를 실행하기를 진심으로 바란다. 그렇게만 한다면 누구나 놀라운 '신념의 위력'을 체험할 수 있으리라 확신한다.

독자의 건투를 빈다.

甲戌年 正月, 옮긴이.

차례

차례

차례

차례

제1부

당신의 마음 속에 있는 위대한 힘

TNT라 부르는 마음 속의 '그것'
'그것'은 사람에게 무엇을 했는가
'그것'은 당신에게 무엇을 하는가
여하튼 생각해 보자 — 자기를 알자

TNT라 부르는 마음 속의 ‘그것’

참된 생활로 인도하는 길이 좋다. 소수의 사람만이
그 길을 발견한다. 왜냐 하면 그 길은 그들 자신 속에 있기 때문이다.
그런데 자기의 길을 찾고 있는 자는 그리 많지 못하다.
대개는 딴 길을 찾아들 뿐으로, 진정한 자기의
길을 찾지 못하는 것이다.

당신은 성공을 염원하는가? 어떻게 하면 성공할 수 있는지, 그 방법을 알고 싶은가? 정녕 그렇다면 나는 이 메시지를 당신께 전해 주겠다.

미리 말해 두지만 이 메시지에는 특별히 이렇다 할 새로운 것은 없다. 당신도 알고 있는 사항들이 대부분을 차지할 것이다. 그렇지만 이것을 좀더 깊이 이해하고 활용할 수만 있다면 당신은 혁명적인 변화를 체험할 것이다. 만일 당신이 이해하고 진실하게 받아들인다면 나는 당신께 건강과 부(富), 그리고 성공과 행복을 드릴 것을 분명히 약속할 수 있다.

부디 잊지 말기 바란다. ‘TNT(Trinitrotoluol, 고성능 폭약.)’는 위험하기 이를 데 없다. 잘못 다루면 당신을 비롯한 많은 사람들이 다치게 된다. 그렇기 때문에 당신은 주의 깊게 좋은 일에만 사용하지 않으면 안 된다. 그 힘은 <성경>의 가르침에 의하여, 그리고 확립된 물리적 법칙에 의하여, 또는 가장 평범한 상식에 의해서도 실증할 수 있다. 여기서 내가 거론하는 입증이 진실인지 거짓인지 당신의 눈으로 보고 스스로 결정하면 된다.

사람에 따라 받아들이는 느낌이나 방법이 다소 다를 것이다. 어떤 사람은 그 정신적인 면만을 택할 것이다. 다른 사람들은 과학적 심리만을 이해할는지도 모른다. 또한 성공으로 인도하는 훌륭한 학문으로 해석하는 사람도 있을 것이다.

어쨌든 이 메시지를 접함으로써 많은 사람들은 진리에 가까워질 것이다. 그 누구라도 마음을 열어 놓고 맞이하는 사람이 있다면, 그것은 태양처럼 빛을 발하여 그 사람에게 큰 영향을 주게 될 것이다.

젊었을 때 나는 전기의 실험에 열을 올렸다. 그 때 어느 선배한테서 호주머니에도 들어 있을 TNT에 대한 이야기를 처음으로 들었다. 그 때는 그것이 무엇인지도 몰랐고, 이야기의 내용도 알 길이 없었다. 그러나 다행히 이제까지 많은 세월이 지났는데도 폭약 그 자체는 조금도 변질되지 않고, 아직도 그대로 보존되고 있다.

그 선배는 왜 그 때 그것이 과연 무엇인가를 나에게 가르쳐주지 않았을까?

지금 돌이켜보면 그 뜻을 알 만하다. 그는 나를 신뢰한 것이다. 받아들일 준비가 되면, 언젠가 받아들일 것으로 기대하고 있었던 것이다.

30여 년의 세월이 흐르는 동안 나는 '그것'—비법—TNT를 어떻게 입수할 수 없을까 하여 인생행로를 두루 찾아다녔다.

놀랍게도 그것은 내 호주머니 속에서 잠자고 있었다. 손을 뻗기만 하면 바로 내 것이 될 수 있었던 것이다. 이제서야 나는 그것을 꽉 붙들고 있다. 그리고 사람들에게도 인심 좋게 나눠 주려고 생각한다. 만일 당신이 그것을 지혜롭게 사용하기만 한다면 모든 장애는 폭파되고 당신이 동경하는 삶의 길은 틀림없이 평탄하게 될 것이다.

당신의 장애는?

나는 오랫동안 신문기자로서 일했다. 따라서 사건의 이면(裏面)을 들여다볼 기회가 많았다. 큰 인물들과 만나기도 하고 유명한 사람들과 인터뷰도 했다.

자연히 그 사람들을 연구하게 되었다.

'그들에게는 어떠한 자질이 있기에 다른 사람들보다 뛰어나게 두각을 나타내고 있는가?'

그 이유를 알려고 노력했지만 쉽사리 비결을 알 수가 없었다.

그러던 어느 날, 제1차 세계대전이 발발했다. 전쟁을 기화로 하여 출세한 사람들도 많았다. 그런데 나는 마음이 불안하여 전도가 암담하기만 했다.

"불행을 찬스로 하여 두각을 나타내는 사람들과 나 자신과는 어디가 다른가? 무슨 차이가 있는가?"

나는 전쟁 통에 곰팡이가 핀 빵을 먹으면서 진지하게 생각했다. 그런 사색의 시간에서 내가 얻은 것은 '생각하기에 따라 상황은 변한다.'는 것이었다.

> "사람은 마음먹기에 따라 천국을 지옥으로 만들기도
> 하고 지옥을 천국으로 만들기도 한다."

  밀턴의 이 말이 전류처럼 내 몸에 흐르기 시작했다. 그것은
나의 TNT가 약간 모습을 드러내놓은 것과 같은 것이었다.

  그 후 나는 행복으로의 지름길을 발견하려고 '성공의 비결'
을 다룬 책이라면 가리지 않고 닥치는 대로 읽었다. 아마 백
여 권은 될 것이다. 그러나 아무런 소득이 없었다. 철학이나
심리학도 읽어 보았다. 하지만 역시 위대한 비밀의 열쇠는 찾
을 수 없었다.

  나중에 알게 된 사실이지만, 그 비밀의 열쇠는 수많은 서적
이나 모든 종교집단, 그밖에 가는 곳마다 있었고, 심지어는
나의 코끝에까지 매달려 있었다. 그런데 무엇인가의 방해 때
문에 그것을 내 손안에 넣을 수 없었던 것이다.

  혹시 당신도 나와 같은 경우를 당하게 되는지도 모른다. 당
신이 이 책 안에서 그 비밀의 열쇠를 도저히 찾아낼 수 없다
면, 무엇이 당신을 그것에 가까이 하지 못하게 하는가 스스로
조사하지 않으면 안 된다. 그 열쇠는 바로 이 책 안에 분명히
내재되어 있다. 만일의 경우 인쇄된 문자 속에서 발견되지 않
으면, 행간(行間)이나 여백(餘白)에서 찾으면 된다. 나는 그것
을 알려 주기 위해 모든 방법을 다 동원할 것이다.

당신은 비겁자인가?

제1차 세계대전이 끝난 후, 나는 어느 투자 회사의 임원으로 일한 적이 있다. 그 곳에서 일하는 동안 나는 어떤 꿈을 품고 있었다. 사업하는 사람이면 누구나 품을 수 있는 것과 다름없는 그런 꿈이었다. 그러나 내가 품은 꿈은 모래 위에 세운 누각처럼 기초가 위태로운 것이었다.

잔바람에도 흔들리던 누각이 무서운 태풍을 만나게 되었다. 그 태풍은 다름 아닌 경제공황이었다. 꿈이 산산이 부서진 나는 일순간에 소심한 사람이 되어 버렸다. 절망의 깊은 늪으로 빠져 들어갔다. 어디를 가도 거대한 장벽이 나를 가로막았다. 한 걸음도 전진할 수가 없었다.

회사의 업무담당자로서 나의 책임은 무겁기만 했다. 세계를 휩쓴 경제혼란은 우리들의 사업까지도 위기에 몰아넣었다. 나는 이르는 곳마다 사업계를 쓰러뜨려 파멸로 이끄는 혼란의 본질은 알지 못했다. 그저 막연하게 사람들만을 비난했다.

나는 몹시 초조했다. 잠 못 이루는 밤이 며칠이고 계속되었다. 차츰 일하러 나가기도 싫어지고 날마다 무언가 더욱 복잡성을 띄어갔다. 거기에 겁을 집어먹었다.

몇 주일이 지나도 사태는 악화되어 가기만 했다. 차라리 폐업해 버릴까 하고 몇 번인가 논의했다.

1931년 6월(후버와 루즈벨트 대통령의 경질기로 모든 미국 은행들이 지불유예를 선포했을 무렵.)의 하순, 마침내 회사를 폐업하기로 결심했다.

이 사실을 수년 동안 사업을 같이 해 오던 어느 동료의 부인에게 밝혔다. 그녀는 비분이 담긴 시선으로 나를 보았다.

그 날 밤, 나는 잠들려고 노력했다. 그러나 전혀 잠을 이룰 수 없었다. 몇 시간이고 안절부절못하고 방 안을 돌아다녔다. 그러는 동안 동이 텄다. 다리에 힘이 빠질 대로 빠진 나는 찌부러질 듯한 의자에 털썩 주저앉았다.

"이제 둘 중의 하나를 선택해야 한다."

나는 신음처럼 말을 뱉어냈다. 머릿속에서 두 가지 생각이 어지럽게 교차되고 있었다. 그 하나는 자취를 감추는 방법이었다. 남은 사람들에게 회사를 위임하고 만사를 될 대로 되게 맡긴다는, 즉 문제로부터의 도피였다. 다른 하나는 고통스럽더라도 계속 버티고 앉아서 직책을 수행하는 방법이었다.

"이것이냐, 저것이냐?"

나는 햄릿처럼 갈등하다가 마침내 결정을 내렸다. 주사위는 버티는 쪽에 던져졌다. 끝까지 버티는 것이 나의 임무라고 최후의 결심을 하였을 때, 나도 모르게 주먹이 불끈 쥐어졌다. 그와 동시에 이런 말이 튀어나왔다.

"옳은 일은 옳다! 예로부터 그렇다! 영원히 변할 쏘냐!"

어릴 적부터 나는 그렇게 배워 왔었다.

바로 그 때 하나의 계시(啓示)가 있었다. 허공에서 이런 소리가 들려 왔다.

"요 몇 년 동안 너는 무엇을 찾았느냐? 무엇을 배웠느냐? 무어라 가르침을 받았느냐? 어디에 갔었느냐? 도대체 어디를 가고 있느냐?"

나는 벌떡 일어나서 부르짖었다.

"알았다! 이제야 알았다! 그것이 비법의 열쇠다!"

무엇인가 나의 마음에 속삭였다. 이 말은 어느 책엔가 있었
다. 몇 년 전에 어떤 사람으로부터 선물 받아 읽기 시작했으
나 너무 어려워서 결국 덮어 두었던 책이다. 그렇다. 그 책을
뒤져보면 발견할 수 있다는 생각이 들었다. 그것은 신비론자
이며, 시인이기도 한 위인 알버트 파크가 쓴 책이다. 서가에
서 꺼내 미친 듯이 서둘러 책장을 뒤적였다. 거기에 그 말이
있었다. 즉석에서 나는 의혹이 깨끗이 풀렸다.

당신의 마음을 열어라!

드디어 나는 열쇠를 쥐었다. 눈앞에는 순탄하고 넓다란 길
이 나타나고, 그 저쪽 끝에는 찬란하고 큰 바다가 눈부시게
펼쳐져 있었다.

"이야말로 네가 걸어갈 길이다. 너는 어찌 된 바보였더냐!
모두 너에게 가르쳐 주려 하였던 것이다. 너를 구해 주고 싶
어 했다. 그러나 너는 마음을 닫아 놓고 있었다."

환희에 넘쳐 당장 쓰러질 듯했다. 일순간에 두려움도, 걱정
도 모조리 사라졌다. 나는 싱글벙글거렸다. 새로운 길을 찾는
데 성공한 것이다. 이제부터는 틀림없이 올바른 이 길을 가겠
다고 굳게 결심했다.

그 날 아침, 회사 사무실의 분위기는 전날과는 달랐다. 머
리 위에 뒤덮여 있던 무겁고 고통스럽던 검은 구름은 사라지
고 없었다. 나한테 힐책하는 듯한 눈망울을 굴리던 부인도 간
밤에 일어났던 일을 이야기하자, 회색이 만면하여 잘 대해 주
었다. 나를 바른 길로 되돌아오게 하기 위해 도와 준 것은 그

녀였다. 어떻게 그 은혜에 보답할 수 있을까?

어떤 학자는 이렇게 말하고 있다.

"우리들 모두는 옳고 그름을 분별하는 힘이나 성공을 붙잡을 수 있는 능력을 가지고 태어났다. 그럼에도 불구하고 많은 사람들은 무언가에 홀린 사람처럼 그릇된 방향으로 향한다. 그릇된 방향에는 단단한 벽이 가로막고 있다. 그 벽에 정면으로 부딪쳐서 자기 자신을 산산조각으로 부숴 버린다."

나도 무서운 기세로 벽에 부딪쳤었다. 그럼에도 그것은 나의 생애에서 최대의 전기(轉機)가 되었다.

내가 그런 식으로 갑자기 돌변한 모습을 보고 사람들은 그 까닭을 알고 싶어 했다. 나는 절친한 친구 두세 사람에게 털어놓았다. 얼마 후 그런 일이 사람들에게도 도움이 될 것으로 판단하고, 널리 세상에도 나누기로 생각하게 되었다.

철……철……철!

일순간에 큰 변화를 원해서는 안 된다. 한 번에 아주 조금씩이 좋다. 천리 길도 한 걸음부터라는 격언을 상기하라. 이것을 체득하면 그 때까지 마음 속에 가득했던 두려움이나 의혹, 그리고 편견 등이 마치 물통에서 물이 새는 것처럼 철, 철, 철! 하고 물방울 소리를 내며 떨어진다. 'TNT'가 당신의 마음의 물통에서 요사스런 생각의 물을 퍼내고 그 대신 새로운 사고방식, 새로운 진리로 갈아 넣을 공간을 만든다.

소리는 당신의 마음의 문을 두드리는 행복의 방문이라고도 할 수 있다. 마음을 활짝 열고 이 새로운 지혜를 맞이하라.

나는 그 날부터 이 고성능 폭약을 널리 세상 사람들과 나누기로 했다. 오늘날까지 몇 천 명에 달하는 개인이나 회사, 그리고 많은 단체가 유익하게 활용해 주었다. 그밖에 많은 사람들에게 강연하고 라디오 방송도 했다. 그리고 이 책에 서술된 원리나 방법을 실지로 응용한 사람들은 한 사람도 예외 없이 놀라운 성과를 올리고 있다. 그것을 눈앞에 보면서 집필하고 있는 나는 무엇보다도 유쾌하다.

지금 당장이라도 당신은 이 힘을 손에 넣을 수 있을지도 모른다. 혹은 당신이 오래 전부터 가지고 있던 힘인지도 모르겠다. 그렇다 할지라도 새로이 당신의 몸을 토대로 하여 작용을 일으키려면 먼저 마음의 준비가 필요하며, 그 때문에 다소는 시간이 걸릴지도 모른다. 너무 성급하고 무리한 짓은 좋지 않다. 마음을 침착하게 하라. 힘은 틀림없이 당신의 몸 안에 있다. 그것을 어떤 방법으로 활용하는가는 당신의 마음먹기에 따라 당장이라도 습득할 수 있다.

옳은 일은 옳다

사람들을 위해 나는 그들의 TNT를 개발시켜 주는 일에 최선을 다하기로 결심하고, 마침내 그것을 직업으로 삼으리라 생각했다. 그렇게 하는 일이 옳다고 판단했기 때문이었다. 사람을 도우려면 어떤 방법이 좋을지 도무지 갈피를 잡지 못했다. 나는 내 나름의 독특한 방법으로 잠재의식에 의존했다. 틀림없이 좋은 방법이 떠오를 것이라는 신념이 있었다. 역시 몸 안의 소리는 널리 세상에 알리는 것이 좋다고 암시하였다.

내가 직업을 바꾸자 일부 사람들은 회의적인 시선을 보냈다. 그렇지만 나는 "옳은 일이라면 입증하면 되지 않겠는가!"하고 나 자신을 격려했다.

그 후, 몇 주일 동안을 이전에 나 자신이 오랜 세월 연구해 오던 서적들을 다시 조사하기 시작했다. 맨 먼저 <성경>을 다시 읽었다. 그 다음에는 인도의 요가 명상법이나, 고대 그리스나 로마의 철학, 또는 후세 학도들의 철학을 읽었다. 이때 로마 황제이며, 철학자인 마커스 아우렐리우스의 명상록을 세심하게 뒤적였고, 토머스 J. 허드슨의 <심령현상의 법칙>과 뛰어난 물리학자 헤이든 로체스터의 <그것의 본질> 등을 다시 읽었다.

그러자 예상대로 내 생각이 옳을 뿐만 아니라, 이상하게도 똑같은 일반적 기본원칙이 모두 일관하여 흐르고 있음을 알았다. 심리학 서적도 수없이 재독했다. 그리고 이르는 곳마다 같은 취지가 기재되고 있음을 발견했다. 계속하여 그것을 발췌하여 정리해 놓자, 놀랍게도 모든 것은 곧 일련의 형태를 갖추었으며 운행이 시작되었다.

당신의 재능은?

주변 사람들을 자세히 관찰하면, 이 힘을 활용하는 사람은 남녀를 불문하고 사회의 제 일선에 나서고 있는 사람들이었다. 나의 신문기자 시절의 경험에 비추어 보아도 결국 그들은 제 일면을 장식하는 사람들로, 말하자면 헤드라이너(Headliner)들이다. 그들은 거물급에 속하기 때문에 웬만한 일은 깡그리 숨겨져 버리는, 어떤 의미에서 세속을 초월한 두드러진 인물들이다.

당신도 이러한 의미의 헤드라이너가 되어야 한다고 권장하는 것은 아니다. 그러나 그러한 사람들은 몸 안의 '그 힘'을 충분히 발휘하여 헤드라이너가 된 것이다. 이러한 사실들을 당신은 이해해 주기 바란다.

틀에 박힌 형식의 정통파보다도 오히려 자유인을 세상에서는 주목한다. 그런 이유에서 헤드라이너의 대부분은 그 클래스의 사람들이다. 그들은 무언가 사소한 일에도 다른 사람들과는 다르다. 어떤 사람은 그 특징을 일부러 사람들 앞에서 과장하기도 한다. 다른 사람들이 세상에서 어떻게 생각하든 전연 개의치 않는다는 점이 되려 사람들의 눈을 끈다.

그것은 어느 사람이나 모두 스스로 장점을 살리고, 또 인생의 욕구 달성에 몰두하는 모습으로, 그 가운데에는 각자 TNT를 바르게 쓰고 있는지 어떤지 되돌아볼 여유도 없는 사람이 있다.

대개 웅변술, 군사과학, 은행업무, 정치수완, 정치학, 예술 등 어느 것엔가 뛰어나서 빠짐없이 세상의 각광을 받아 헤드라이너로 되어 있다.

그러한 사람들의 수도 꽤 많다. 여기에 역사상의 인물로부터 현대에까지 몇몇 헤아려 보면 다음의 사람들을 들 수 있다.

그리스의 웅변가 데모스테네스, 로마의 폭군 네로, 아메리카 대륙의 발견자 콜럼버스, 세계적 천문학자 갈릴레오, 이집트의 아름다운 여왕 클레오파트라, 프랑스의 소설가 발자크와

모파상, 영국의 물리학자 뉴턴, 프랑스의 소녀 영걸(英傑) 쟌 다르크, 영국의 크롬웰, 임진왜란의 명장 이순신, 미국의 정치가 벤자민 프랭클린, 독일의 재상 비스마르크, 미국 대통령 링컨, 프랑스의 대통령 클레망소, 독일의 독재자 히틀러, 러시아의 정치가 스탈린과 레닌, 인도의 철인 간디, 미국의 발명가 에디슨, 세계적 물리학자 아인슈타인, 영국의 정치가 처칠, 의학자이며 종교가인 슈바이처 박사 등등······.

이 밖에도 업적이나 언행이 탁월한 사람의 이름을 꼽는 것은 당신도 문제없을 것이다. 그러한 사람들은 예나 지금이나 수없이 많다. 어느 시대에나 몸 안에 있는 그 힘을 활용하여 최고의 정점에 올라선 사람들은 실존했었다.

앞에 든 이름 가운데 네로, 히틀러, 스탈린, 레닌 등도 포함되어 있음을 알았을 것이다. 이들은 모두 그 사람마다의 재기에 넘쳐 마음 속에 있는 '그것'을 활용하여 절대 권력의 자리에 앉은 것이다. 그렇지만 불행한 것은 그 지위에까지 올라가는 과정에 있어서 인류를 수렁 속으로 몰아넣은 사람들이라는 것이다. 이러한 실례에서 알 수 있듯 몸 안에 있는 힘은 이것을 선용하거나 악용하더라도 똑같이 사람을 헤드라이너로 만든다.

그러므로 이 힘은 훌륭함과 동시에 또한 무척 위험하기도 하다. 당신도 이것을 훌륭하게 조정하는 방법을 배워 당신을 위해 다른 사람들을 위해, 또—만일 당신이 헤드라이너가 되었다면—인류를 위해 사용하지 않으면 안 된다.

간디가 이 힘을 사용하였음은 의심할 여지도 없다. 나는 간디가 근대의 가장 뛰어난 헤드라이너였다고 생각한다. 현대인

의 복장을 한 그의 사진도 찾아보면 얼마든지 있다. 만년의
간디는 머리를 짧게 깎고, 겨우 한 폭의 천으로 허리를 두르
고 커다란 안경을 쓰고 있었다. 무언가 특별한 의도가 있어서
즐겨 이런 묘한 행동을 했는지도 모르겠다. 그러나 적어도 이
러한 차림이 세계의 이목을 한 몸에 모을 수 있다고 생각해
서 은근히 그것을 의식하고 있었을 것이다. 나는 그렇게 믿고
있다.

이 힘을 이용하는 사람이 된다는 것은 참으로 신나는 일임
에는 틀림없다. 지금 선망의 시선들이 당신의 한 몸에 모아지
고 있는 것을 상상해 보라. 짜릿짜릿한 전류가 흐르는 듯한
느낌을 받을 것이다. 이러한 흐뭇한 상상을 실제로 당신이 체
험하게 된다.

명심하라! 당신은 시들어가는 제비꽃이 아니라 활짝 핀
장미꽃이 되어야 한다. 어떻게든 세상에 인정되고, 존경되지
않으면 안 된다.

<성경>은 말한다.

"언덕 위에 세워진 도읍은 숨길 수 없다."

"양초에 불을 붙이고 위로부터 됫박을 뒤집어씌우는 사람
은 없다."

"인생의 위대한 진리는 이것을 마음에 받아들일 태세를 갖
춘 사람만이 이해할 수 있다."

마음 속의 이 힘을 악용한 사람들은 스스로 파멸을 불러들
였다. 당신도 역사를 들추면 그러한 사람들을 만날 수 있을
것이다.

우리는 모두 자기의 인생에서 노력하는 것과 같은 양(量)의

결실을 맺는다. 결코 뿌린 씨에 비해 많지도 적지도 않다. 이 것은 예로부터 일러지는 평범한 진리이다. 이 사실을 몇 번이고 되풀이하여 말해도 지나침이 없다. 우리가 건설적인 노력을 자기의 인생에 기울여 선을 행하면 틀림없이 거기에 동등한 보답이 있다.

<성경>은 말한다.

"사람은 뿌린 씨를 거둔다."

그렇다면 마음 속의 '그것'이라든지 '몸 안에 있는 힘'이라고 말하는 것은 대체 무엇인가? 지구를 뒤흔드는 TNT란 무엇인가? 그것은 뭇사람의 몸 안에 있는 것이다. 만일 생애에 무언가 일다운 일을 하려면 어떻게든 이 힘을 사용하지 않으면 안 되는 것이다.

이제까지 해 온 말을 당신은 이해했을까?

그것은 당신 자신, 당신의 내부에 있는 참다운 당신을 지칭하는 것이다. 그것은 당신의 마음 속에 숨겨진 힘이다. 그것은 의식적으로 컨트롤하여 작용시키면, 하는 일마다 당신을 위해 활약한다. 경제적, 물리적, 정신적인 온갖 난관을 남김없이 모두 돌파할 수 있다.

이 힘을 영상화하라 !

'그것'은 당신이 일생의 욕구로써 마음에 그리던 것—즉 당신이 소망하던 모든 것—을 강한 폭발력을 가지고 실현시키는 힘이다.

사리에 어긋나지 않는 욕구라면 당신은 마음에 무엇을 그려도 좋다. 몸 안에 있는 힘에 대하여 충분한 신념만 있다면, 당신이 그리는 영상은 반드시 이룩된다.

그것이 당신의 TNT이다. 그것은 욕구하는 것을 마음 속에 그린 영상이며, 그 욕구를 달성할 수 있다고 믿고, 또 결단코 달성하기로 결의한 당신의 신념이다.

이렇게 한 마디로 말한다면 참으로 간단하다. 너무나 간단하여 수많은 사람들은 되려 믿으려 하지 않는다. 그 힘을 습득하는 시간조차 아까워한다. 그리고 맹목과 무지와 완고함과 고집으로 단단한 석벽에 머리를 부딪고 제 몸에 온갖 참사나 금전적 손해나 병을 끊임없이 만들어낸다. 모두 그릇된 생각에 기인하는 몸에서 생겨난 녹이다.

상기해 주기 바란다. 나는 30년 동안 이 TNT를 호주머니 속에 가지고 있으면서도 넘어질 뻔하기도 하고, 뒹굴기도 하며 방황했다. 손을 뻗기만 하면 몸을 둘러싼 비탄으로부터 스스로 자기를 구할 수 있는 힘을 당장에라도 손에 넣을 수 있었는데……, 이 힘에 의하여 성공을 거둔 사람들이 나에게도 그 힘을 나누어 주겠다고 말하는데……, 그런 사람들보다도 나는 더 현명하다고 잘못 생각하고 있었다.

'내 힘만으로도 충분하다. 인생의 성공 같은 것은 원래 하늘이 정하는 것이므로 신념이나 신(神)의 도움과는 관계없다. 그따위 것이 무슨 의지가 되겠는가?' 하고 생각하고 있었다. 여러 차례 이 진리를 깨달을 기회는 있었지만, 결코 손에 넣으려고 하지 않았다. 말하자면 회의와 조소로 스스로 면역성을 만들어 진리에 대하여 허세를 부리고 있었던 것이다.

나의 진술한 고백처럼 나는 오랜 세월 동안 인생을 등지고 낙담과 절망에 빠져 있었다. 그러나 당신은 그런 흉내를 내서는 안 된다. 지금 당장 당신의 마음의 호주머니를 샅샅이 찾아, 당신이 사용해 주길 기다리고 있는 고성능 폭탄을 재빨리 손에 쥐기를 신신당부한다.

'그것'은 사람에게 무엇을 했는가

때가 오면 원숙한 생각만큼 강한 것은
세계 어느 곳에도 없다.
−빅토르 위고−

　사물을 생각하는 방법, 이것은 세상에서 가장 위대한 사고
방식이다. 이제는 이 방식이 당신의 마음을 사로잡을 때가 왔
다. 그것은 참으로 소박한 사고방식이다. 만일 당신이 마음을
열어 놓고 그것을 받아들이면 당신은 깜짝 놀랄 만큼 탈바꿈
하게 된다. TNT의 폭발처럼 당신의 모든 것이 요동한다. 이
방식은 이제까지의 그릇된 사고방식을 무너뜨리고 전혀 새로
운 생각으로 바꾸어 버린다. 드디어는 당신의 일상생활로부터
불안과 걱정을 일소해 버린다.

　거듭 말하지만 세상의 위대한 성공자는 모두 이 사고방식
을 가지고 있었다. 그러한 사고는 그들의 모든 생애를 지배하
였다. 이런 사고방식 없이는 아무리 그들 나름의 처세술을 가
지고 있더라도, 위대한 인물로는 될 수 없었을 것이며, 성공

다운 성공도 거둘 수 없었을 것이다.

그럼 이 사고방식이란 무엇인가?

그것은 '당신이 만일의 경우 뚜렷한 신념을 가지고 집요하게 되풀이하고 되풀이하여 마음에 영상을 그린다면, 그 모든 영상은 당신의 생애 중에 반드시 구현된다.'는 사실을 인식하는 바로 그것이다.

옛 현인(賢人)들은 말했다.

> ## 마음 속에서 생각하는 것, 그것이 바로 그 사람이다!

이 사고방식이 처음으로 내 마음을 쳤을 때, 나는 녹다운되어 카운트되고 있는 듯한 생각이 들었다. 그것은 참으로 나에게 있어서 청천벽력이었다. 왜냐하면 이제까지 나 자신의 힘으로 감당하기 어려운 사태에 부딪쳤을 때는 언제나 그것을 다른 사람의 탓으로 돌려 비난하고 있었기 때문이다.

내가 맞이한 불행한 체험은 나 자신의 책임은 아니라고 생각해 두면, 많은 고통을 부드럽게 하는 데 도움이 되었다.

그러나 어느 때부터인지 외계의 사물에 대하여 내가 생각하고, 또한 느낀 일과 나의 주변에 몰아닥치는 일과의 사이에는 무언가 관계가 있는 듯하다고 마음 속 깊은 곳에서 인정하기에 이르렀다.

아침에 일어나서 기분이 나쁘고, 무언가 좋지 못한 일이 일어날 듯한 생각을 하고 있으면 대개는 좋지 못한 날로서 하루를 보냈다. 처음에 나는 영매(靈媒)의 기질이 있어서 무엇이 일어날지를 예언할 수 있는 것처럼 생각했다.

정신세계에는 '유(類)는 유(類)를 부른다'는 보편적인 법칙이 있다. 나의 나쁜 사고방식이 불행을 스스로 창조하고 있다는 사실에 눈을 뜰 때까지는 꽤 오랜 시간이 걸렸고, 그 때까지는 고통스런 벌을 받고 있었다.

주변을 둘러보면 항상 행복한 사람들은 있었다. 그들은 아침에 일어나면 오늘 하루가 틀림없이 좋은 일이 일어날 것으로 기대했을 것이다. 그런 희망적 관측이 그들에게 행복을 가져다 준 것이다.

때로는 그런 사람들도 불행한 경우를 당했을 것이다. 그렇지만 고통스런 체험 때문에 낙심하는 모습을 표면에 드러내지는 않았었다.

내가 미처 깨닫지 못할 때 그런 일들은 언제나 나를 경탄케 했다. 때로는 원망스러운 생각조차 들었다.

왜 마음가짐을 약간 달리하는 정도만으로 이런 차이가 생기는 것일까?

나는 그 즈음 과학자가 말하는 전자기(電磁氣)라고 부르는 위대한 힘이 우주에 널리 작용하고 있다는 사실을 모르고 있었다. 우주 만물은 전자기적인 성질을 띠고 있기 때문에 서로 끌어당기고 반발하는 법칙에 의해 전자기적으로 작용한다는 사실을 알지 못했었다. 또 사람이 적극적이거나 소극적인 마음가짐을 갖는다면, 그 사람은 그에 따라 적극적 혹은 소극적인 결과를 얻게 된다는 사실도 알지 못했다.

> 인생에 있어서 우연히 이루어지는 일이란 없다. 모든 것은 인과(因果)의 법칙에 직접 관련되어 일어나는 것이다.

　지금 서술한 말을 몇 번이고 되풀이하여 읽어 주기 바란다. 이 말에 담긴 뜻을 결코 잊지 않도록 당신의 마음 속에 단단히 새겨 두어야 한다. 이 말은 당신의 생애를 바꾸어버릴 만큼 커다란 힘을 갖고 있다.

　내가 말하고 있는 것은 조금도 새로운 것이 없다. 만일 새롭다면 당신에게만 생소할 따름이다. 이와 같은 일은 지금까지 몇 천 번이고 쓰여졌고, 또한 전해져 왔다. 그것은 성서 속에도 일관하여 흐르고 있으며, 훌륭한 문학작품 속에서도 쉽게 찾아볼 수 있다.

　모든 시대의 현인들, 종교계의 지도자, 위대한 교사, 기적을 행하는 사람들은 모두가 이 비밀을 알고 있었다. 이런 사람들은 이런 방법으로, 또 저런 사람들은 저런 방법으로 각각 이것을 사용했다. 그들은 소망하는 것을 마음 속에 그렸고, 그것을 결국 실현했다.

　모세는 이스라엘의 백성을 신이 약속한 가나안의 땅으로 데려갈 것을 마음에 그렸다. 알렉산더 대왕과 나폴레옹은 위대한 정복을, 셰익스피어는 불멸의 작품을, 워싱턴은 13개 식민지를 위해 독립을 쟁취할 것을, 링컨은 노예해방과 합중국의 부패 제거를, 에디슨은 전등, 활동사진, 축음기, 전차 및 그 밖의 무수한 위대한 발명을, 스타인메츠는 전기의 새로운 이용을, 버남은 세계 어디에나 기차로 여행하는 '지상 최대의 쇼'를, 루즈벨트는 불황의 구렁텅이로부터 나라를 구해낼 것을 마음에 그렸다.

이러한 것들은 영감을 가진 사람들이 그린 위대한 마음의 영상이며, 의연하게 마음에 간직하고 행동으로 옮겨갔다. 이들은 모두 개인의 신념과 용기와 인내에 의하여 실현된 것이다.

중요한 사실은 단지 그 사람들도 당신과 같은 한 사람의 인간에 불과했다는 것이다.

기다려라! 생각하라! 숙고하라!

무엇이 이들을 위대하게 했는가?

그것은 그들이 이루고 싶었던 꿈을 마음에 그렸기 때문이다. 그들은 위대한 성공을 씩씩하게 마음 속에 영상화했었다. 그렇기 때문에 몸 안에 있는 힘은 그 영상을 받아들였다. 또한 강력한 추진력으로 이것에 조작을 가하여 드디어 그와 같은 일을 현실화시켰던 것이다.

잠깐 되돌아보라!

비행기, 자동차, 전등, 텔레비전, 컴퓨터, 타이프라이터 그밖에 수없이 많은 문명의 이기(利器)는 어디에서 왔는가? 이 모든 것은 그 실현 전까지는 사람의 사고나 마음의 영상이었다. 지상의 모든 것은—자연계가 창조하였거나 제공한 것을 제외하고는—모두가 오랫동안 간직해왔던 사고의 덕택이다.

이 세계에서 사고에 의하여 창조된 모든 것을 제외하여 보자. 그런 후에 남는 것은 원시적 정글 이외에는 아무것도 없을 것이다. 이것이 오늘날까지 인간의 마음이 성취한 것을 당신에게 설명하는 데 가장 쉽고, 가장 구체적인 묘사이다.

만일 마음의 진화에 관한 참다운 역사가 쓰여진다면, 그것은 동서고금을 통하여 가장 위대한, 가장 흥미진진한 읽을거리가 될 것이다 왜냐 하면 그것은 인간 역사의 모든 시대와 모든 면에 저촉되기 때문이다.

그것은 무지와 미신, 공포, 편견, 그 밖의 그릇된 사고방식의 심연으로부터 인간이 어떻게 기어 올라왔는지 그 과정을 이야기해 줄 수 있는 것이다.

그것은 또 갈릴레오와 같은 위대한 정신의 소유자가 있었던 데 대한 증명이기도 하다. 그는 코페르니쿠스와 더불어 지구는 태양을 중심으로 움직이고 있다고 믿었다. 한 치 앞을 내다볼 수 없었던 당시의 지배계급은 종교재판을 통해 그 생각을 취소시키고, 그 해박한 저서의 출판을 금지시켰다.

그 무렵에 행했던 교의(敎義)나 포고(布告)에도 불구하고 갈릴레오는 용기를 잃지 않았다. 결코 신념을 굽히지 않았다.

진리를 추구하는 사람들에게 초기의 교회가 어떻게 박해했는지를 생각하면 우리는 역시 부끄러워하지 않을 수 없다.

인간 정신의 역사는 찰스 다윈을 자랑으로 여기고 있다. 식

 정신이 성숙해 간다는 것은, 힘이 풍부하고 넘친다는 것보다도 가치있는 것이다. 우리들 속에 존재하고 있는 영원한 것은 시간이 우리들 속에 낳아놓은 것을 파괴함으로써 좋은 이익을 얻는다. - 톨스토이 -

물이나 동물에 대한 그의 깊은 연구는 저 유명한 <종의 기원>이라는 저서에 고스란히 담겨 있다. 진화라는 현상을 통하여 행해지는 조화의 신의 작업, 지금에 와서는 의심하는 사람은 없다. 현대인들은 옛날 사람들처럼 완고하거나 사리에 어둡지는 않다.

'시간'의 흐름의 모습을 역사로 보면 참으로 경탄할 만하다. 태초에 인간이 지구에 살기 시작한 무렵과 오늘을 비교해 보라. 상상도 할 수 없던 위대한 정신력의 발전이 펼쳐졌다는 사실을 당신도 느낄 것이다.

인간이 동물보다 나은 점은?

인간은 동물의 영역에 속한다. 사자나 호랑이 그 밖의 맹수에 비하면 힘이 약하다. 자연에의 적응력도 뒤떨어진다. 그런 인간이 오늘날까지 오랜 세기에 걸쳐 모든 형태의 생물과의 투쟁에서 살아남았다. 또한 인간끼리의 전쟁 등과 같은 무자비함을 극복하여 오늘의 우리가 된 것은 몸 안에 있는 훌륭한 마음의 힘이 있었기 때문이다. 인간은 가끔 갖가지의 추한 결점을 드러내놓기는 하지만, 어쨌든 간에 신이라고 할 만도 하다.

인간이 오늘날의 문화와 지능을 가질 수 있었던 것은 다른 생물들에게는 없는 마음의 힘이 있기 때문이다. 이 몸 안의 힘이 인간을 다른 동물과 구분하여 놓았다. 인간이 서로 협조하여 평화롭게 사는 방법을 찾아내기만 하면, 향상과 발전의 기회는 무한하다. 오늘도 진보는 끊임없이 계속되고 있다. 진보의 원천이 바로 생명 속에 내재된 '그것'이다.

남자이건 여자이건 생명 속에 있는 이 힘을 활용하고 있는 사람은 누구의 눈으로도 곧 분별할 수 있다. 그러한 사람은 생각하는 일이나 하는 일에 보다 깊숙이 있는 그 힘을 충분히 의식하며 행동하고 있다. 그들은 안정과 자신과 용기를 갖고, 그 표현에 있어 아무것에도 속박되지 않는다. 말하자면 마술과 같은 것이다.

그들은 자기가 어디로 가고 있는지, 또 어떻게 그 곳에 가야 하는지 그 방법을 알고 있다. 또 스스로의 미래를 영상으로써 마음에 간직하고 결의와 확신을 가지고 미래로의 길을 걷고 있다.

그 정신에는 사람을 일깨우는 것이 있다. 그들은 오늘도 당신을 격려하며 이끌고 있다. 진리를 알려 주고 길을 제시하고 있다. 당신이 성공하도록 바라고 있다.

이러한 사람들이야말로 지상에 있어서 참다운 의미의 입안자(立案者)이기도 하며, 실행자라고 말할 수 있다. 사고가 적은 대중은 그들의 발자국을 따를 따름이다.

당신은 집단을 이끌겠는가, 그렇지 않으면 집단의 한 사람이 되겠는가? 만일 다른 사람들의 추종자가 되겠다면, 당신은 아직 내부의 '그것'을 발견하지 못하고 있는 것이다.

그 힘을 깨닫지 못하고는 절대로 앞서 나갈 수 없다. 당신이 바람직한 인생을 살고 싶다고 생각한다면 무슨 일이 있어도 그것은 꼭 필요하다. 그것 없이는 아무 일도 할 수 없다.

당신이 마음에 그리는 것을 끌어들이는 힘에 의해서만 당신의 곁에 모여든다. 당신은 영상을 가지고 몸 안의 창조력에 자성(磁性)을 부여하지 않으면 안 된다.

마음에 그려라! 그려라! 그려라!

마음에 그려라! 이러한 간단한 호령이 달성을 초래한다.

그렇지만 그림으로 하는 것은 당신이 진실로 희망하는 것이어야 한다. 잘못되어 공포나 번민의 그림을 그려 당신의 참다운 소망도 아닌 것을 내부의 힘으로 창조케 해서는 큰일이다.

에디슨이 전등의 발명에 열중하고 있을 때, 만일의 경우 성공의 영상 대신에 반대로 실패의 영상을 그렸다면, 수천 번에 걸친 실험을 되풀이하기는 도저히 불가능하였을 것이다. 주지하는 바와 같이 에디슨은 단 한 번의 성공을 위해 9999번의 실패를 했다. 그 하나하나의 실패가 어떤 재료는 못 쓴다든지 하는 것을 하나씩 그에게 가르쳤다. 그리고 안 되는 것은 하나하나 버려 간다는 대단한 끈기로 실험을 거듭한 끝에 드디어 결점이 없는 오직 하나의 것을 발견해낸 것이다.

당신은 이렇게 많은 실패를 눈앞에 두고 과연 어느 정도나 끈기 있게 계속할 수 있을까? 한 번 겸허하게 생각해 보기 바란다.

에디슨은 말했다.

"성공의 99%는 땀, 나머지 1%는 영감(靈感)이다."

몸 안에 있는 그 힘을 자각하면서 일할 때는 당신의 신념도 에디슨과 마찬가지로 동요 없는 것으로 된다. 온갖 장애, 일견 실패처럼 보이는 것에 대해서도 끝내는 성공한다는 동요 없는 신념을 가지고 싸움을 계속해 간다면 틀림없이 이루게 된다.

어떻게 하다 보면, 어떤 하나의 실패로부터 뜻밖에 더욱 커다란 보상을 안겨 주는 결승점으로 미끄러져 들어가는 수도 있다.

유명한 콜럼버스의 예를 생각해 보자. 그는 연구 결과 둥글다고 확신하여 서쪽으로 항해하면 틀림없이 중국과 인도로 갈 수 있다고 믿었다.

그러한 항해에 견딜 수 있는 배를 입수하는 데 5년이나 걸렸다. 더구나 막상 출발하게 되자 승무원들은 콜럼버스의 생각에 의심을 품고 반란을 일으켰다. 그들은 배를 떠나고 말았다. 그래도 콜럼버스는 신념을 굽히지 않았다. 마음 속에 있는 힘은 그에게 일을 계속케 했다. 그런 연후에 몇 개의 섬을 발견하고 거기를 '서인도 제도'라 명했다.

그 후, 다시 세 차례나 미국으로 갔지만, 그는 최후에 이르기까지 '신세계'를 발견한 줄은 알지도 못한 채 세상을 떠나고 말았다. 콜럼버스의 이런 일을 역사는 실패라고는 기록하고 있지 않다.

훌륭한 노력은 결코 헛되이 끝나는 것이 아니다.

만일 당신이 뚜렷하게 영상을 그리고 끈기 있게 확고한 신념을 간직해 간다면, 당신의 영상은 기어코 실현되게 된다.

나는 그러한 일을 이제부터 여러 가지로 수단을 바꿔 가며 몇 차례로 서술할 것이다. 그것을 사라지지 않을 만큼 강하게 당신의 의식에 새겨 두려 하기 때문이다.

영상 실현의 실례

오브라이엔 부부, 일머와 화리는 캘리포니아의 북 할리우드에 있는 '꿈의 궁전'에서 살고 있다. 이것은 틀림없이 그들이 마음에 그리던 집이며, 그들의 영상이 그대로 직통하여 성과로 나타났음을 실증하고 있다.

처음에 두 사람은 마음에 꼭 맞는 집을 사기로 생각하고, 몇 개월이나 걸려 여기저기 찾아다녔다. 마지막에는 복덕방의 알선을 받지 않으면 안 되었다. 복덕방의 소개로 멋진 집이나 정원도 거의 둘러보았으나 어느 것도 마음에 드는 집은 없었다.

끝내는 평범한 방법으로는 발견할 것 같지 않았다. 그래서 자기들의 소망을 이루어주는 것은 무언가 기적적인 새로운 수단밖에 없다고 생각했다.

새로운 방법이란 분주하게 돌아다니지 않고 가만히 집에 앉아서 자기들이 바라는 집의 영상을 마음에 그려 보는 것이었다. 그 집이 어딘가에 실재하고 있고, 이미 그들의 것이 되었다고 믿었다.

일머는 그 집에 있는 방의 배치도를 그렸다. 그리고 집 주위라든지 정원 등 모든 것을 마음에 그렸다. 남편 화리와 그녀는 설계에 대하여 의논하고, 두 사람의 생각을 정리했다.

일머는 남편인 화리에게 이렇게 말했다.

"제가 바라는 것은 집이 아니고, 집의 향기예요. 만일 언뜻 봐서 우리들과 같은 마음가짐으로 집을 애지중지하는 부부가 세운 집이라면 좋겠어요. 사랑이 깃들은 집 말이에요. 집 주변에도 사랑의 향기가 감도는 듯한……, 그런 집이 있을까요?"

"틀림없이 있어. 그렇지 않으면 당신이 그런 식으로 느낄 리가 없잖아."

"맞아요. 당신 말씀처럼 그런 집이 없다면 상상할 수도 없었을 거예요."

부부는 그 집을 꿈꾸면서 잠들었다. 그러한 소망의 집이 발견될 리가 있겠느냐는 의심은 일체 갖지 않았다. 여하튼 어떤 일이 있더라도 마음의 그림으로 그리는 것은 기어코 실현될 것으로 알고 있었다.

그로부터 몇 주가 지난 어느 날, 일머는 남편과 동반하여 어느 친구의 집을 방문했다. 이 때, 일머는 자기들의 '꿈'을 말하지 않고는 견딜 수 없는 기분이 되었다. 친구는 열심히 귀를 기울이더니 이윽고 다 듣고 나서 이렇게 말했다.

"그 이야기는 데이비스라는 내 친구의 집과 꼭 같네. 그 친구의 부인은 몇 개월 전 두 사람의 보금자리가 마련되고서 얼마 후 불행히도 세상을 떠나고 말았다네. 그는 아직 그 집에 살고 있네. 지금까지 두 차례나 거기에 든 건축비를 모두 부담하겠으니 양도해 달라는 신청을 받았지만, 자기들이 이 집을 사랑하였듯이 이 집을 사랑해 줄 부부를 발견할 때까지는 도저히 팔 수 없다고 하고 있네."

"제발 우리를 그 집으로 안내해 주게."

일머와 화리는 신이 났다.

그들이 북 할리우드에 있는 그 집 앞에 당도했을 때, 두 사람은 자신들의 눈을 의심할 정도로 놀랐다.

"이야말로 우리들이 꿈에 본 집이다."

부부는 집의 문턱을 넘어서자마자 자신들도 모르게 이구동성으로 큰 소리를 지르고 말았다.

집도 좋고, 정원도 좋고, 화단도 마음에 쏙 들었다. 바로 두 사람의 꿈이 현실로 재현되어 눈앞에 펼쳐져 있는 것이었다. 소유자인 데이비스 씨를 만난 두 사람의 눈은 사랑에 넘쳐 있었다. 데이비스도 그것을 간파하고 있는 듯했다.

"두 분은 이 집이 무척 마음에 드시는 모양이군요. 나는 잘 알 수 있습니다. 지금부터 두 분 마음대로 천천히 둘러보십시오."

거의 한 시간 정도나 일머와 화리는 아름다운 그 집 안을 둘러보았다. 벌써 이 '꿈의 집'으로 이사라도 와 있는 듯한 두 사람의 모습이었다.

그러나 그들 부부가 그 집을 사기에는 돈이 터무니없이 부족했다.

"모처럼 마음 속에 그렸던 집을 발견했는데 우리의 힘으로는 너무 벅차군요. 어떻게 해서 사면 좋을까요?"

아내 일머의 걱정스런 말에 남편 화리가 대답했다.

"우리들의 신념이 이렇게 먼 곳까지 우리를 인도했어. 앞으로도 신념은 틀림없이 좋은 방법을 가르쳐 줄 거야."

그들이 뒤뜰에서 뒷문으로 돌아와서 집으로 들어가려고 하자, 안에서 데이비스가 창문을 열고 두 사람을 바라보면서 조용히 서 있었다.

"참 좋군요, 정말로 훌륭해요! 우리가 틀림없이 꿈에 보아 왔던 집입니다. 그렇지만 우리들 힘으로는 부담이 지나치게 과한 것 같군요."

화리는 손을 흔들며 크게 소리쳤다. 그러자 데이비스는 활짝 웃으며 이렇게 말했다.

"아닙니다. 그렇다고만 할 수는 없습니다. 지금까지 팔고 싶지 않은 사람들에게는 많은 금액의 월부를 요구해 왔습니다. 그러나 두 분은 나와 내 아내가 이 집을 사랑하던 것과 다름없이 아껴 줄 것으로 압니다. 만일 이 집을 저희들만큼 깊은 애정을 갖지 않은 사람들에게 판다면, 제 아내는 결코 저를 용서하지 않을 듯한 마음이 듭니다. 두 분은 얼마나 지불할 수 있으신지 그쪽에서 제시하십시오. 위임하겠습니다."

조건은 성립됐다. 그리고 오브라이엔 부부는 '꿈의 집'이 이제야말로 현실적으로 두 사람의 평생 소원이던 집이 되었다는 확증을 얻고 그 곳을 떠났다.

값싸게 넘겨받았다고는 하지만, 월부금을 지불하는 데도 그들의 전 재산을 필요로 했다. 완전히 매수될 때까지의 잔금을 마련할 것 같은 가능성은 보이지 않았다.

"우리들 기분에만 치우쳐 무리를 하지 않았는지 몰라? 당치도 않은 큰 짐을 짊어진 것 같아요."

일머가 걱정스럽다는 듯한 표정으로 말했다. 그러자 화리가 밝은 표정으로 아내를 보았다.

"지금까지 만사가 척척 맞아들어 가고 있어요. 앞으로도 걱정 없이 잘 되어 갈 거요. 나는 믿고 있어요."

그리고 결과는 그대로였다. 지금은 잔금 지불은 물론 등기도 완전히 끝내고 그들의 것이 되었다.

이 이야기를 당신은 어떻게 받아들였을까? 믿으면 보인다. 신념을 가지면 그대로다. 사용방법만 당신이 배운다면 내부의 힘은 항상 이런 식으로 작용한다. 그리고 당신이 신념을 가지고, 어느 때라도 옳다고 생각되는 일을 한다면 내부의 힘은 당신이 상상할 수 없을 만큼 훌륭하게 작용한다.

일머와 화리의 경우는 유(類)가 유를 부른 것이다. 그들은 데이비스씨가 가진 것과 같은 집을 마음에 그렸으며, 한편 데이비스씨는 그들 부부와 같은 사람들에게 팔고 싶다고 마음에 그리고 있었던 것이다. 이러한 두 꿈은 일머가 '꿈의 집'에 대한 소원을 밝힌 친구를 매체(媒體)로 하여 자석이 끌리듯이 서로 끌어당겼다.

당신이 자기의 욕구를 명료하게, 은밀하게, 그리고 끈질기게, 게다가 자기의 영상은 기필코 실현된다는 신념을 가지고 마음에 그리면 내부의 힘에 의하여 이 이야기와 같은 짜임새로 당신의 목적에 도달하는 길이 열려 온다.

당신의 일생에 있어서 모든 착한 일, 바른 일은 바른 사고 방식에 의하여 당신의 곁으로 끌려오게 된다. 마음 속의 '그것'이 당신 이외의 사람을 위해 달성해 준 것이 당신에게도 달성되지 않을 리 없다.

단순하다는 것은 항상 사람을 매혹시키는 힘을 가지고 있다. 어린아이와 동물이 갖고 있는 매력은 그 단순함 속에 있는 것이다. - 파스칼 -

적극적 사고는 사물을 끌어들이고 소극적 사고는 배척한다.

당신의 사고방식을 조사해 보라. 지금까지 읽은 내용을 믿을 수 있겠는가? 당신은 이제까지의 생활을 돌이켜보고, 적극적인 생각에 의하여 얼마만큼 착한 일을 끌어들이고, 소극적인 생각에 의하여 어떻게 나쁜 일을 끌어들였는지 마음에 깨닫는 것이 있는가?

여기서 만일 깨닫는 것이 있다면 창조의 힘이 당신에게 무엇을 할 수 있는가를 이해할 준비가 되었다는 말이다.

'그것'은 당신에게 무엇을 하는가

정신의 존재를 믿으며, 지혜의 빛 속에 사는 사람은
신의 나라에 사는 자이며, 영원한 인생을 사는 자이다.

당신은 건강과 재산과 행복을 얻어 만족하게 살고 싶은가?
인생의 괴로움이나 어려운 문제를 척척 해결할 수 있었으면
좋겠는가? 그런 비결이 있다면, 어떤 대가를 지불하더라도 손
에 넣겠는가?

그 비결을 찾는 사람이 세상에는 가득히 있다. 몇 세기를
통하여 많은 사람들이 그 비결을 찾아왔다. 당신도 역시 이
책을 읽고, 생각하고 이해하여 실제로 응용한다면, 반드시 그
열쇠를 입수할 수 있다. 나는 그것을 의심치 않는다.

당신은 도대체 무엇을 소망하는가?

어디로 가고 싶은가?

이 두 질문에 대답하라. 그러면 당신의 일생의 목적과 방향
이 정해질 것이다. 만일 무엇을 바라는지, 어디에 가려는지를

알지 못하고 있다면, 당신은 아마 아무것도 할 수 없으며, 아무 데도 갈 수 없을 것이다. 마음을 정하지 않으면 주변의 모든 것도 동요되어 정해지지 않는다.

"유(類)는 유를 부른다!"

이 사실을 잊어서는 안 된다.

당신의 오늘의 생각이, 당신의 내일의 모습이나 소재(所在)를 정한다!

좀처럼 마음을 정하지 못하는 사람을 당신은 본 적이 있을 것이다. 마음을 정하지 못하는 사람이 가령 자동차를 운전하고 있다 하자. 처음에는 이쪽 길을 가지만, 다음 순간에는 저쪽 길에 있다. 속력을 늦추어 네거리를 도는가 하면, 금세 마음을 바꾸어 속도를 낸다. 무척 세심하게 운전하고 있다고 생각하면, 어느 샌가 너무 무궤도하게 달린다. 그 자신도 어디에 있는지, 또 왜 거기에 있는지도 알지 못하는 모양이다. 그 마음을 참으로 다른 사람은 알 리가 없다.

그래서는 세상에서 지위도 얻을 수 없으며, 아무런 업적도 남길 수 없다. 만일 당신이 생각이나 행동을 정하지 못하고, 줄곧 동요하여 결심할 수 없다면, 당신은 마음도 감정도 완전히 통제할 수 없다는 증거이다. 그리고 당신의 생애를 바꿔주는 내심의 창조력을 아직 입수하지 못한 증거이기도 하다.

지금 세상에는 전쟁 무기가 무섭도록 발달해 있다. 한 나라를 일순간에 파멸시킬 수 있는 가공할 만한 핵무기가 속속 개발되고 있다. 처음으로 내가 몸 안의 이 힘을 발견하였을 때, 그것을 표현하는 데 가장 알맞다고 생각한 말은 TNT였다. 만일의 경우 당신의 발을 뒤에서 끌어당겨 전진을 방해하고 압력을 가할 듯한 공포·의혹·번민·초조·열등감·좌절·증오·탐욕·편견 등의 커다란 산을 헐어버리는 데는 이 TNT만한 힘만 있으면 충분하며, 그 이상의 것을 필요로 하지 않는다.

당신이 실현하고 싶다는 생각을 정확히 마음에 그려서 폭탄의 신관(新管)에 점화하는 것만으로 된다. 그리하여 한 걸음 물러서서 '그것', 당신의 몸 안의 자력을 가진 창조력에 나머지 조작을 맡겨 두면 그것으로 충분히 된다.

당신이 지시만 하면 '그것'이 나머지 일을 해 준다.

먼저 지시하고 강한 신념을 가져라. 마음에 그림을 그려라. 그러면 마음의 힘이 그것을 향하여 작용하기 시작한다. '그 힘'은 욕구가 달성될 때까지 필요한 모든 것을 당신의 곁으로 끌어당길 것이다.

장애를 극복한다

나의 어떤 친구는 어릴 적에 심한 말더듬이였다. 그런 그가 무엇을 생각했는지 목사가 되기로 마음먹고, 그 야심을 품은 채 성장해 갔다. 그러나 그것을 친구나 집안 식구들에게 이야기하면 모두 조소하거나 아니면 어떻게 해서든지 그 희망을 버리도록 하려 했다.

"사람들 앞에 나서지 않아도 될 직업을 선택하는 편이 좋

아. 아무도 네 이야기 같은 것을 들으려고 하지 않을 거야. 왜냐고? 너는 말 한 마디 하는데도 힘들어하고, 일단 더듬기 시작하면, 그야말로 감당할 수 없잖아. 첫 마디를 할 때까지 30초나 걸리는 일도 있기 때문이야.

"그렇지만, 나는 일평생 이럴 거라고는 생각하지 않아요. 나도 그러는 동안에 다른 사람들처럼 이야기하게 될 거예요. 그것을 눈으로 보는 것 같아요. 틀림없이 할 수 있어요!"

그는 조금도 물러서려 하지 않았다.

현재 이 남자는 태평양 해안의 커다란 교회의 목사이다. 내가 아는 가장 설득력이 풍부한 힘있는 목사라고 생각하고 있다. 아무도 그가 옛날에 말하는 데 커다란 장애가 있던 사람이라고는 생각도 하지 못한다.

그는 어떻게 이런 결함을 극복했을까?

마음에 그린 그림 덕택이다. 신으로부터 받은 예의 창조하는 힘에 의하여 그는 스스로를 구한 것이다.

그가 술회하는 바에 의하면, 가끔 농원(農園)에 가서 몇 시간이고 닭과 이야기했다고 한다. 닭을 사람으로 생각하고, 닭 앞에서 연설을 한 것이다. 그는 이렇게 말했다.

"처음에는 닭도 깜짝 놀랐던 모양이야. 나는 더듬거리지 않고 말하려고 애써 입은 물론이고 몸까지 열심히 구부렸다 폈다 했지. 내 행동이 이상했는지 닭은 기묘한 눈짓으로 모이 먹기도 멈추고 나를 보더군 그래. 그럴 때면 나는 내 화술이 닭의 주의를 끌었다고 생각했어. 이러한 일을 되풀이하면서 한편으로는 내가 왜 더듬거리게 되었는지 그 원인을 찾기 시작했네.

알다시피 나의 아버지는 대단히 엄격한 분이셨네. '아이들은 보살펴 주되 응석이나 말을 들어 주지 말라'는 옛 속담대로 어린이들을 잘 돌봐 주긴 하지만, 어린이들이 말하는 것은 절대로 채택하지 않는다는 교육방법을 내세우셨네. 따라서 어린 내가 무엇을 이야기해도, 무언가 말하려고만 해도 심하게 나무랐네. 그것이 나를 신경질적으로 만들어 버렸네. 곰곰이 생각해 보니 결국에는 입을 열 때마다 사람들로부터 웃음을 사게 될 거라고 생각하며 멈칫거리게 되었네. 내가 말을 더듬게 되었던 원인은 바로 거기에 있었네. 그런 다음부터는 사람들 앞에서 말하는 것이 싫어졌네.

하지만 닭이나 가축 앞에서 더듬거리지 않고 말할 수 있음을 알게 되자, 사람들 앞에서도 마찬가지로 못할 것 없다는 자신이 서게 되었네. 그것은 뜻밖의 착상이 주효한 것이네. 나는 닭이나 소나 말을 앞에 놓고, 그것을 인간이라고 상상했네. 그렇게 하자 사람에 대한 공포감이 완전히 사라져 버렸네. 그것은 어린이와 같은 사고방식이었지만, 훌륭하게 효과를 나타냈던 것이네.

옛날 어린 시절 마음의 그림으로 간직한 것을 그대로 실현하고 말았네. 바로 자네 앞에 서 있는 내 모습이 그 확실한 증거이네."

몸 안에는 이러한 창조하는 힘이 있다. 그 힘은 당신에게 어떠한 결함이 있던 그것을 극복하려고 언제나 대기하고 있다.

이 마음의 힘이 당신의 몸을 통하여 힘을 발휘하도록 당신은 마음을 점검할 수는 없는가?

어떻게 해서 신념을 갖는가?

당신이 먼저 기억해 두어야 할 것은 이 힘이 결코 아지랑이처럼 부박(浮薄)한 것이 아니고, 신뢰할 수 있는 실재하는 것이라는 점이다. 당신의 몸 안에서 그것을 발견했을 때는 당신도 명확히 알아차린다. 어떻게 하면 그 힘을 사용할 수 있는가도 이윽고 이해하게 된다. 그러한 것을 각별히 당신의 머리에 간직해 두어야 한다.

이 책의 목적은 이 창조하는 힘을 당신도 보도록 하고 이를 능숙하게 사용하는 방법을 실명하는 데 있다.

그러나 이 놀라운 힘을 당신의 것으로 하기 위해서는 경건한 마음 자세가 절대 필요하다. 거듭나겠다는 굳은 결심을 하고 이 책을 읽어야 한다.

일생 중에 좋은 일이 일어나거나 혹은 나쁜 일이 일어난다 해도 그것은 반드시 '밖에서 안으로'가 아니라 '안에서 밖으로'라는 것을 알아 두어야 한다. 모든 것은 외계에서 일어난다기보다 먼저 당신의 마음 속에서 일어난다.

각성하라. 당신은 당신이 주인이다. 당신의 몸은 당신의 뜻에 의해서만 움직일 수 있다. 당신이 지금 손에 들고 읽고 있는 이 책을 밑에 내려놓으려고 먼저 마음에 정하지 않는 한, 이 책을 밑에 내려놓을 수는 없다. 당신이 이 책을 읽기 싫다면, 곧 덮을 수도 있다.

이와 마찬가지로 당신의 그릇된 생각에 의하여 당신 자신을 제약하는 것을 자진하여 제거하지 않는 한, 당신의 몸 안에 있는 '그것'의 조력을 구할 수는 없다.

의기를 꺾지 말라!

내 친구 존스는 자진해서 광고업계에 뛰어들었으나 일은 뜻대로 되어가지 않았다. 언제나 뛰어다니며 광고를 얻어야 했지만 적자를 면치 못했다.

어느 날, 그는 지금과 같은 상태에서 깨끗이 종지부를 찍기로 마음먹었다.

"차라리 내 능력을 맘껏 발휘할 수 있는 곳에 취직을 하자."

이렇게 결심한 존스는 마땅한 직장을 찾으려고 주변을 둘러보았다. 그러자 유력한 여행잡지 <세계의 여행>이 흥미를 끌었다.

그는 세계여행의 경험자였다. 그러한 일에는 직감력을 가지고 있었다. 그는 차츰 자기가 <세계의 여행>의 광고부장의 자리에 앉아 일하는 모습을 눈으로 보는 것처럼 되었다. 그러한 영상을 참으로 열성을 다하여 마음 속으로 그리고 있던 그는 드디어 그 잡지의 사장에게 편지를 내어 면회를 청했다.

그의 방문 목적을 들은 사장이 말했다.

"지금 우리 회사에는 당신이 들어올 자리가 없습니다. 나는 현 광고주임 헤이리 군을 신뢰하며 충분히 만족하고 있습니다. 그는 우리 회사에서 오래도록 일하고 있는 실력자입니다. 우리 회사 직원으로서의 한 평생을 보장받은 거나 다름없습니다."

이런 말을 들으면 십중팔구는 실망하겠지만 존스는 달랐다. 그의 대답은 자연스럽게 다음 말로 이어졌다.

"당연한 일입니다. 그러나 귀사의 출판은 보람 있는 것이어서 저에겐 매우 흥미있는 일입니다. 정식사원은 아니더라도 일에 관계를 갖게 해 주시면, 저로서는 그 이상 고마운 일이 없겠습니다. 귀사의 편집회의나 광고회의에 저를 참석시켜 주실 수 없겠습니까? 그리고 사원의 자격으로 의견을 내도록 해 주실 수 없겠습니까? 급료는 필요 없습니다."

그것은 색다른 의견이어서 사장은 갑자기 마음이 움직였다.

"그렇게 열성이시라면 제 개인으로서는 별로 이론이 없습니다. 그러나 헤이리 군에게 직접 상의해 두는 편이 좋을 겁니다. 실무자인 그는 그런 식으로 자기 자리에 관심을 갖는 듯한 사람이 곁에서 손을 내미는 것을 좋아하지 않을지도 모릅니다. 그러나 우리 측에 아무런 부담 없이 당신이 적당한 시간을 할애하여 도와 준다는 것을 만일 헤이리 군이 승낙한다면, 부디 그렇게 해 주십시오. 나는 환영합니다."

존스는 헤이리를 방문했다. 이 두 사람은 만나자마자 서로 마음이 통하여 좋아하게 되었다. 두 사람의 친밀한 교우는 8년 동안이나 계속되었다. 그 동안 존스는 <세계의 여행>에 귀중한 공헌을 했다. 물론 회사에서는 그에 상응하는 보수를 지급했다.

존스는 이제 어엿한 <세계의 여행>의 광고부장이다. 일은 무엇 하나 모르는 일이 없는 형편이어서 훌륭하게 헤이리의 후임으로 근무하고 있다. 이 자리야말로 8년이라는 기간을 오랫동안, 그 자신이 앉아 있는 모습을 마음의 그림으로 그려 온 자리였던 것이다.

이래도 역시 내부의 힘이 당신의 욕구를 달성시켜 줄 수는 없다는 등 완고하게 거부하려고 생각하는가?

영감은 어떤 일을 하는가?

사면초가다. 희망이라곤 조금도 없다. 이것으로 만사는 끝났다.

당신은 이러한 상태에 도달해 있는가? 만일 그렇다면 흡사몇 년 전인가 H. C. 머턴이 느낀 것과 같다.

가족에 대한 것이나, 정세상의 어려움 때문에 머턴은 펜실베니아 주의 집을 버리고 뉴욕 시로 뛰쳐나왔었다. 이 대도시에 나와 혼자 힘으로 재기하려 했으나, 정신이 평정을 잃었을때는 흔히 있는 일로 이것저것 모두 좋지 못한 방향으로만빠져들어갔다.

7주 동안의 방세가 밀렸다. 남은 돈은 겨우 2달러. 앞날의희망이란 조금도 없고, 친구의 원조도 기대할 수 없었다. 가진 것도, 돈이 될 만한 것은 모두 팔아 버린 후였다. 남은 길이란 오직 자살하는 길밖에 없다고 그는 마음먹었다.

그렇지만 그 전에 꼭 끝내 두고 싶은 조그만 볼일이 몇 가지 있었다. 그 하나를 정리하기 위해 메이시 백화점 지하실에있는 서점 앞을 지나가게 되었다. 서적 진열대 앞에 당도했을때 어떤 책이름 하나가 눈에 띄었다. 그 책이름은 해롤드 셔먼의 <행복으로의 열쇠>라는 것이었다.

평정을 잃었던 머턴의 마음에 이 책이름은 마치 빨간 모포가 투우를 자극한 것과 같이 작용했다. 머턴은 '행복으로의열쇠 같은 게 있겠나 !'라고 생각하는 순간 불같이 화가 치밀었다. 그러나 가게를 지나 행길이 나올 때까지도 이 책이름은 마치 날카로운 창(槍)이 목덜미를 꿰뚫은 것처럼 마음에 걸려 묘한 뒷맛이 남아 있었다. 충동적으로 그는 휙 돌아서서 메이시 백화점으로 뛰어들어갔다. 그 책을 뽑아 들고 주머니를 털어서 책값을 지불했다.

그는 자살용으로 산 극약과 함께 책을 가지고 집으로 돌아와 사람을 바보로 만들어도 분수가 있다고 생각하면서 책장을 넘겼다. 우선 처음에 눈에 띈 문장을 닥치는 대로 소리를 내어서 읽었다.

"당신이 그렇게 생각하든, 말든 당신에게 일어나는 모든 일은 직접, 또는 간접적으로 당신이 책임을 져야 할 것이며, 그 씨는 모두 당신이 뿌렸다."

이런 글귀를 읽은 머턴은 화가 머리끝까지 치밀어 책을 창밖으로 내던질 참이었다. 이 같은 절망상태에 빠지게 된 것은 모두 자기로는 감당할 수 없는 주변의 사정 때문이라고 그는 생각하고 있었다. 불행한 일들은 모두 다른 사람들 탓이었다. 그렇기 때문에 자기를 책망하는 일은 생각조차 한 적이 없었다.

<행복으로의 열쇠>의 저자는 스스로 논하려는 것에 대해서는 전혀 밝혀 놓지 않았다. 그러한 결점을 찾아내겠다는 생각으로 화가 난 채 머턴은 열을 내어 책장을 넘겨 갔다. 그런데 읽으면 읽을수록 무언가 마음에 여운을 남기는 구절이 늘어 갔다.

당신은 지금, 현재 당신이 처해 있는 괴로움으로부터

빠져나갈 수 있을지 어떨지 의심하고 있을지도 모른다. 만일의 경우 그렇다면 당신에 대한 내 대답은 이렇다. 희망을 버리지 마라! 당신의 어려운 문제를 해결하는 길, 지금 당신의 신상을 덮치고 있는 곤경을 타개할 길은 반드시 있다. 당신의 일생에 가장 큰 소원을 달성할 길이 있다.

머턴의 관심은 차츰 고조되어 갔다. 자살할 계획은 차츰 그의 마음 속 깊은 곳으로 기어 들어가기 시작했다. 그 방법이란 대체 무엇인가? 지금 둘러싸여 있는 답답한 상태로부터 도대체 어떻게 하면 빠져나갈 수 있을까?

이 책에는 흰 종이에 검은 활자로 이렇게 똑똑히 씌어 있었다.

"무엇이든 당신이 달성하고 싶은 소망이 있다면, 그것을 분명하게 마음의 그림으로 만들 능력을 기르지 않으면 안 된다."

이것은 전혀 새로운 일이 아니라는, 전에 내가 한 말을 상기해 주기 바란다. 이 말은 몇 천 번이나 씌어졌고, 또 말해진 것이다. 그러나 이것을 처음으로 듣는 사람에게만은 항상 새롭다.

해롤드 셔먼은 머턴에게 내부에 있는 힘에 대하여, 즉 내가 당신에게 말한 것과 다름없는 것을 가르쳤던 것이다. 이 힘을 내가 나 자신의 방법으로 발견한 것과 같이 셔먼도 그 자신의 방법으로 이것을 발견했을 것이다. 그리고 우리 두 사람이 모두 '그것을 세상에 널리 전하고' 싶다는 욕망으로 치닫게 한 것이다.

그러나 그것을 읽는 머턴은 전혀 생소한 말이었다. 우선 그의 머리로 판단해 보지 않으면 안 되었다. 내용이 없는 아름다운 말이나 허공에 뜬 약속에 끌려 다닐 여유는 그에게 없었다. 이미 너무나도 환멸을 맛본 나머지 병은 지나치게 고질화되어 있었다. 스스로 길을 찾지 않는 한 방향전환을 하여 되돌아가는 길로 들어가는 것은 생각조차 할 수 없는 일이었다.

이 조그마한 책을 펼쳐 읽어 감에 따라 이전에는 의미도 없는 것으로 보이던 일이 모두 무언가 뜻이 있는 것처럼 생각하게 되었다.

그 자신의 정신이나 감정의 작용에 대해서도 조금씩 알 것 같았다. 그 이해에 비추어 일생을 돌이켜 반성을 해 보니, 지금까지 해 오던 그릇된 사고방식 때문에 얼마나 많은 잘못된 결과를 자초해왔는가를 다소나마 깨달았다. 그리고 인간이란 과거의 실패를 거꾸로 역이용하는 것을 배워야 하고, 그 실패로부터 건설적인 교훈을 흡수해야 하며, 또 사람이란 각기 무언가 빛을 보지 못한 재능이나 소질이 있으므로 그것을 끌어내어 발전시키면 경제적 곤경으로부터도 구출될 수 있다고 쓴 곳에 이르렀을 때, 머턴은 이렇게 자문했다.

'과거에 나 자신이 익혀 온 일로 지금의 이 곤경을 타개할 만한 돈을 벌 수 있는 일은 없을까?'

그는 과거를 돌이켜보고 허탈해졌다. 평생에 손대지 않은 것이 없었지만, 무엇 하나 제대로 터득한 것이라고는 아무것도 없었다. 손재간이나 머릿속에 있는 것을 몽땅 털어놓아도 이 곤경을 타개해 줄 만한 것은 하나도 없었다. 다만 몇 년인가 전에 가죽으로 만든 가구를 손질하는 약을 조제해 본 일이 있었다. 여러 가지 화약약품을 잘 배합해서 성공을 한 걸음 앞에 두고 이윽고 내던져 버린 일이었다.

'어떻게 그 일을 되살릴 수는 없을까?'

갑자기 '번쩍'하고 무언가 비치는 게 있었다. 마치 파란 하늘에 번갯불처럼, 그 자신의 잠재의식으로부터 직통으로 그가 목표로 하고 있던 조제가 뜻하지 않게, 마치도 접시에 담겨져 그의 손에 들려 주듯이 그의 눈앞에 나타났다. 그것을 받쳐 드는 순간 이것은 쓸 만하다고 그는 직감했다. 바로 그것이었다.

시계를 보니 새벽 2시가 지나고 있었다. 머턴은 결국 이 세상을 등지려던 계획을 창 밖으로 내던져 버리고, 그 대신 날이 밝으면 해야 할 일의 계획을 세우기 시작했다.

다음 날 아침. 다시 태어난 것처럼 활기 띤 머턴은 조제에 필요한 약품을 사기 위해 8달러 남짓한 돈을 이웃 철물점에서 빌렸다. 그리고 7주 분이나 방세가 밀린 자기 방으로 서둘러 되돌아와서 약품 배합에 착수했다. 약품 배합을 끝낸 그는 천천히 의자에 앉아서 이 상품이나 그의 서비스를 팔려면 어디로 가는 편이 가장 좋을지를 몸 안에 있는 힘에게 물어 보기로 했다.

5번가의 W. 앤드 J. 스론이라는 커다란 가구점이 마음에 떠올랐다. 이 가구점은 확실히 가죽으로 만든 가구를 파는 가게를 따로 가지고 있었다. 머턴은 전화를 걸어 그 주임과 통화했다.

"나는 H. C. 머턴이라고 합니다. 가죽으로 만든 상품이면 무엇이든지, 특히 피혁제 가구류에 알맞는 클리닝용이며 보존용 조제를 발명했습니다. 한 번 찾아뵙고 실험해 드리고 싶습니다."

주임은 흔쾌히 응락했다.

"부디 찾아주십시오. 그런 약품이라면 이쪽에서도 사용해 보고 싶습니다."

머턴이 약품을 가지고 찾아가자 주임은 창고로 안내하여 수리도 하지 않고 버려 둔 꽤 거칠어진 긴 의자를 보여주었다. 가죽은 까실까실하게 마르고, 무척 더럽혀져 있었다. 이 정도라면 도저히 가망이 없어 보였고, 그가 만든 화학조제의 테스트 대상으로는 너무 심한 상태였던 것이다.

그러나 머턴은 결단을 내려 그 시련을 감수하기로 결의했다. 거의 한 시간 남짓 최선을 다 한 후에 주임을 데려와 작업의 성과를 검토하게 했다. 주임은 보자마자 찬탄의 소리를 내며 이것이 낡은 것이라고는 생각할 수 없게 되었다고 기뻐했다.

"당신이 의자를 가져와서 바꿔 놓은 것으로밖에 생각할 수 없군요. 흠집도 없어지고, 번들번들할 뿐 아니라, 가죽이 부드럽고 싱싱해졌어요. 얼룩도 모두 없어졌고요. 머턴 씨, 우리 가게 피혁가구의 클리닝과 보존은 이제부터 모두 당신에게 맡기겠습니다."

머턴은 이날 아침, 앞으로의 작업의 전도금으로써 400달러의 수표를 받아 깊숙이 간직하고 태연하게 W. 앤드 J. 스론 상사를 나왔다.

'그것', 몸 안의 창조하는 힘이 머턴에게 이러한 일을 했다. 머턴이 만일 적당한 방법으로 일찍이 이 창조하는 힘을 끌어 내었다면 수년 전에 이와 같은 일을 할 수 있었음에 틀림없다.

머턴은 이 힘이 그의 몸 안에서 그의 몸을 통하여 작용하게 된 것을 신에게 감사하려는 뜻으로 그 후로 어떤 일을 했을까?

그는 그 날 밤, 신에게 맹세했다.

"이제부터는 구원을 필요로 하는 사람을 만나면 결코 모르는 체하지 않겠습니다."

책을 읽지 말라, 책을 연구하라!

머턴과 아내 메리는 미국의 유명한 자선가로서 명망을 얻고 있다. 그들은 스스로 자기를 돕는 수양서를 만들어 모든 사람에게 무료로 배포하고 있다.

책의 표지에는 <이 책을 읽지 말라, 연구하라!>는 제목과 함께 두 사람의 이름이 씌어 있다.

책의 주요한 대목마다 행간에 색연필로 밑줄을 그어 놓았다. 내용을 정확히 연구하도록 각각 장이나 일부의 페이지를 집게로 집어 놓게 하고, 이러한 주의를 덧붙이고 있다.

"이보다 앞에 씌어 있는 것을 완전히 이해하게 되어 참으로 실행에 옮길 수 있을 때까지 이 집게를 뽑아서는 안 된다."

"이 부분은 한 달 동안 연구를 뒤로 미룰 것. 당신이 현재 연구하고 있는 부분을 완전히 소화하려면 그만한 시간이 걸릴 것이므로."

이렇게 책을 손질하는 데 각각 1시간은 걸린다. 그러나 머턴은 말한다.

"그만한 가치가 있다. 한 권의 책에서 사람이 읽어 자기 것으로 만드는 것은 사람에 따라 다르다. 대부분의 사람들은 책을 읽지만 연구하지는 않는다. 자기 스스로 응용하지도 않는다. 일평생 아무것도 하지 못하는 것은 거기에 원인이 있다."

여러 사람들이 당면하고 있는 난관에 대하여 머턴은 이렇게 단언한다.

"난관은 근본적으로 모두 같은 것이어서 몸 안에 있는 창조하는 힘을 불러일으킴으로써만 해결할 수 있다."

H. C. 머턴 씨는 자기와 마찬가지로 자력적인 매력을 가진 협력자 메리 부인과 더불어 언제나 웃는 얼굴로 밝게 응접한다. 두 사람의 불굴의 정신은 그 명함에 쓰인 다음의 슬로건에 충분히 나타나 있다.

우리는 사람들이 포기한 불가능한 일을 한다. 그 방법을 알기 때문에!

그럼, 당신은 창조하는 힘에 대하여 이제 어떻게 생각하는가? 당신의 생활에 그것을 작용시킬 태세를 갖출 수 있는가? 만일 그렇다면 이 머턴 씨의 방법으로 출발하면 된다. 이 책 속에 당신의 이마를 탁 칠 만한 곳이 있고, 당신에게 있어 특

히 깊은 의미가 있다고 느껴지는 것이 있다면, 그 문장에 줄을 그어 두라. 그렇게 하면 하나하나의 생각이 당신의 의식에 강하게 새겨지게 되어 당신의 사고의 일부로 녹아 들어갈 것이다.

그러나 당신의 '그 힘'을 해방하기 전에 먼저 당신의 마음 속에서 잘못된 사고나 감정을 제거해 두지 않으면 안 된다. 그렇게 하려면 너무 어렵게 생각되는 것도 있을 것이다. 그러나 훌륭한 보수가 있다.

여하튼 생각해 보자 - 자기를 알자

사람의 진정한 위대함은 가끔 반성하여 자타를 모두
바르게 평가하고, 또 있는 그대로의 인생의 목적을 아는
데 있다. 그리고 바르다고 생각되는 규칙을 어김없이 지키고 세상
사람들이 어떻게 생각하든, 어떻게 말하든, 또한 자기가 생각하고
말한 것을 다른 사람이 하든, 아니하든 그런 일에
관심을 두지 않는 데 있다.
- 마커스 아우렐리우스 -

사람이라면 누구나 향상되고 싶어 한다. 그러나 개 중에는
소심하거나 타성에 젖어 첫출발을 내딛기가 어려운 사람도
많다.

여기에 하나의, 흔히 있는 삽화를 하나 인용해 본다.

미시시피 강의 제방에서 두 흑인이 낮잠을 자고 있었다. 두
흑인은 잠이 깨어 하품을 하고 기지개를 켜더니 한숨을 쉬었
다.

"야, 내가 소원성취를 빌어 우리가 제일 좋아하는 수박이
백만 개나 생긴다면, 얼마나 좋을까?"

다른 흑인이 그 말을 듣고 물었다.

"라스터스, 너에게 수박이 백만 개나 생긴다면, 그 절반은
나한테 줄 수 있겠니?"

"줄 수 없어."

"그럼 십만 개는 줄 수 있겠지?"

"십만 개라니, 당치도 않은 소리 마."

"라스터스, 백만 개나 있는데 열 개 정도는 줄 수 있겠지?"

"줄 수 없어. 열 개라고 해서 줄 줄 아니."

"그렇다면 벌레 먹은 거로 조그마한 것 하나면 돼."

"어쨌든 삼, 나한테 백만 개가 있어도 너한테는 하나도 줄수 없어."

"뭐라고 ? 라스터스."

"너는 게으름뱅이야. 너 자신은 왜 소원성취를 빌지 못하니 ! "

이 이야기로부터 배울 점이 많다. 그것은 지금부터 서술하는 것으로 밝혀지리라 생각한다.

개 중에는 내가 하는 말을 조소로써 듣는 사람도 있을지 모른다. 그것은 잘 알고 있다. 어느 세상에나 조소하는 사람은 반드시 있다. 분명한 사실은 그들은 결코 성공하지 못한다는 사실이다. 인생에 있어서 어떤 지위도 얻을 수 없다. 경쟁자가 그들을 피하여 지나가고, 또는 그 머리 위를 뛰어넘어 재빨리 출세하는 것을 그들은 그저 질투하며 바라보고 있을 따름이다.

그들의 인생에 있어서의 가치는 사람들의 방해가 된다는 것뿐이다. 여러분 중에도 내가 이미 말한 것이나, 지금 말하고 있는 것, 그리고 이제부터 설명하는 것도 모두 받아들이려 하지 않는 사람이 있을지도 모른다. 그러나 조금이라도 관심이 있는 사람이나 배우고 싶어 하는 사람은 반드시 배울 수 있고, 입신(立身)에 도움이 될 것이다. 나는 그것을 확신한다.

이제 당신은 잠시 멈춰 서서 자신을 생각하고 분석해 볼 때가 왔다.

당신 자신에 대하여 어떻게 믿고 있는지, 그리고 왜 그렇게 믿는지?

당신은 인생으로부터 당연히 받아야 할 것을 받고 있다고 믿고 있는가? 당신은 인생에 당연히 주어야 할 것을 주고 있는가?

인생은 당신도 알고 있는 대로 일방통행은 아니다. 기브 앤드 테이크(give and take)이다. 줌으로써 받고, 받음으로써 줘야 한다.

인생은 위대한 창조주인 신이 당신에게 주는 선물이다. 그렇지만 태어난 순간부터 본질적으로 당신의 생애는 당신의 것이다. 살기 위한 최초의 호흡은 당신이 하는 것이다. 지상에 머무르고 싶어 하는 한 호흡을 계속하지 않으면 안 된다.

자기의 몸에도 적당한 주의를 기울이지 않으면 안 된다. 그렇지 않으면 언젠가 건강을 해치게 된다. 머리와 그 안에 있는 뇌까지도 보다 큰 일을 위해 사용하지 않으면 안 된다. 기계도 쓰지 않으면 녹스는 것과 마찬가지로 인간의 능력도 쓰지 않으면 퇴화된다.

지금 당신의 환경은 당신이 오늘날까지 살아온 결과다. 여기에는 우연히 닥쳐온 일은 아무것도 없다. 당신의 현상은 당신의 정신과 감정이 몸 안에 조성한 가지가지의 인과연쇄(因果連鎖)의 집계(集計)라고 할 수 있다. 그것들의 최종적인 결과가 당신이며, 즉 이 순간의 당신이다.

거울을 보라. 모든 근육의 움직임은 사람으로서의 당신의 박력을 겉으로 나타낸 것이다.

당신의 얼굴의 표정을 조사해 보라. 그것은 당신의 생각을 정직하게 나타내고 있다. 당신의 눈, 그것은 당신에게 어떻게 비치는가? 차분히 가라앉아 침착하고 정시(正視)할 수 있는 눈인가?

거울에 비친 모습은 곧 다른 사람이 보는 당신의 모습이다. 어떤 인상을 당신은 사람들에게 주고 싶다고 생각하는가? 그 것은 오직 당신 자신의 마음 나름이다.

당신에게 인격의 힘, 즉 사람으로서의 박력이 있느냐 없느냐는 당신이 알고 있다. 만일의 경우 그것이 결여되어 있든지, 미완성이라면 정신을 차려 그것을 만들지 않으면 안 된다. 내가 여기에 서술한 바를 단호히 채택하기만 하면 그것을 할 수 있고, 또한 그 의욕도 일어나게 된다.

사람으로서의 박력이란 무엇인가?

박력을 가진 사람의 앞에 가면 강렬한 힘으로 당신을 붙드는 것이 있다. 그것은 잠재의식(潛在意識)이라는 커다란 저수통에서 그가 끌어내는 하나의 다이내믹한 힘이다. 그것에 그 사람의 의사력을 부가한 것이다. 이런 박력을 가진 사람은 셀 수 없이 많다(그것을 천성의 것이라고 보는 사람도 있다. 그럴지도 모른다. 어떻든 스스로도 깨닫지 못하고 그들은 잠재의식을 활용하고 있다.). 그 힘은 다른 곳으로부터 받는 것도 있고, 아니면 어릴 때 자신도 알지 못하는 사이에 몸에 익힌 사람도 있어, 그 박력에 의사의 힘이 더해지면 무언가 놀라운 일이 거기에 일어난다.

사람에게 다가오는 박력은 자기 신뢰나 신념을 갖는 사람에게 갖추어져 있다. 그러한 사람들은 인생에 목표를 가지고 어디로 가야 하는지, 어떻게 하면 그 곳에 당도할 수 있는지를 알며, 타는 듯한 열의가 얼굴에 나타나 있다. 그렇기 때문에 마치 자석이 쇠 부스러기를 끌어당기듯이 다른 사람들을 끌어당긴다.

당신이 강한 신념을 갖고 있을 때는 그와 마찬가지로 목표로의 열의가 용솟음치고, 향상하려는 결의가 생겨난다. 이 결의는 이윽고 당신의 눈에, 당신의 말투에, 당신의 행동에 나타나게 된다.

저 사람은 빨려 들어가는 듯한 시선이다. 무언가 등 뒤에까지 꿰뚫어 보는 듯하다는 말을 들은 적이 있을 것이다. 그것은 무엇일까? 몸 속에 있는 불덩어리라고 해도 좋고, 아니면 무어라 부르는가는 당신 마음대로다. 그렇지만 이런 시선을 가진 사람은 욕구하는 것을 무엇이나 입수할 수 있다. 그는 바깥세상을 누르고, 지령하고, 끌어들인다. 즉 성공자의 반열에 서 있는 사람들이 그들인 것이다.

잊어서는 안 된다. 눈은 마음의 창이다. 성공하는 사람의 사진을 보면 된다. 그 눈을 조사해 몸짓에도 그러한 것을 반영시킴이 좋다. 그것을 나는 권하고 싶다. 그렇게 하면 머지 않아 인파 속을 걷는 당신의 모습을 사람들은 알아차리게 될 것이다.

내 체험으로는 어떤 사고를 파는 데는 먼저 자기 자신을 믿고, 이어서 그 사고를 믿고, 그리고 자기 및 사고를 파는 자기의 수완을 믿지 않으면 안 된다. 그리고 상당히 세련된

화제도 가지고 있어야 한다. 그러기 위해서는 교양적인 공부
가 필요함을 나는 안다.

당신은 자기 자신을, 또는 사람을, 그리고 당신이 사는 세
계를 어느 정도 알고 있는가? 당신이 갖는 박력은 그 지식에
달려 있다. 자기와 사람들과 세계에 대하여 밝지 않으면 확신
과 권위를 가지고 자신을 표현할 수는 없다.

깨어라! 주변을 알라! 견식을 넓혀라!

세계적인 사건을 쫓을 수 있으면 당신의 박력을 넓히고, 또
강화할 수 있다. 그러므로 뉴스에 주의를 기울여야 한다. 당
신이 만난 사람, 혹은 이제부터 만날 사람들이 관심을 가질
듯한 것도 가능한 한 많이 알아 두면 화제가 풍부해진다. 처
음 만난 친구나 고객일 때, 그들이 어떠한 화제에 흥미를 갖
는지 어림잡을 수 없는 노릇이다. 더구나 그 사람의 흥미를
끌거나 전혀 관계없는 화제를 꺼내어 당신이 숨을 돌리거나
하는 여유도 필요한 것이다. 항상 날씨에 대해서나 몸의 상
태, 그리고 가슴의 통증 정도의 화제만 끄집어 내서는 안 된
다. 신문이나 잡지를 읽고, 중요한 라디오 뉴스나 텔레비전
해설도 듣는 게 좋다.

당신의 귀와 눈을 활용하라. 시대의 추세에 뒤떨어지지 말
라. 살인이나 자살사건까지 상세히 기억해 두라는 말은 아니
지만, 그날그날의 국내외 정세의 다이제스트 정도는 알아 두
지 않으면 안 된다. 그럼으로써 당신의 시야가 넓어지게 된
다.

잊지 말라. 지식은 힘이다! 그것은 어떻게 보면 케케묵은 말인지도 모르겠으나, 그러나 어디까지나 진리다.

견문이 좁고 사물을 알지 못하는 자기 중심의 사람에게 누가 귀를 기울이겠는가?

당신의 지식을 쌓아라! 그렇게 하면 당신의 화제도, 관심도 크게 증대하여 보다 큰 것으로의 갈망이 용솟음칠 것이다.

배우고, 익히고, 일하라. 날카로운 통찰력을 길러라. 자동차의 속력을 높여라. 먼저 당신부터 활력을 보여라.

그것은 다른 사람에게도 전해 간다. 당신이 곁에 있는 것만으로도 그 사람은 신이 날 것이다. 당신의 자력(磁力)은 작용하고, 당신은 그 사람에게 호감을 받게 될 것이다. 누군가가 이렇게 말하는 것을 들은 일이 있을 것이다.

"누구누구 곁에 있으면 강한 자극을 느낀다. 언제 만나도 나를 떠받쳐주는 듯한 힘을 받는다."

신념과 열의를 가지고서 몸 안에 있는 불덩어리, 곧 '그것'을 태워라. 그러면 당신의 주위에 진동이 일어난다. 그것이 모든 생명의 원리이며, 창세 이래의 사실이다.

유는 유를 낳는다. 웃음은 웃음을 갖게 하고, 선행은 선행을 부르고, 돈은 돈을 낳고, 사랑은 사랑을 불러 낸다. 이 사랑으로부터 당신이 출발하면 된다. 그것은 틀림없이 활동을 나타낸다.

나는 지금 가공의 꿈을 그리는 것은 결코 아니다. 세간에는 새의 가슴뼈의 양끝을 두 사람이 잡아당겨 잘라진 뒤 긴 쪽을 쥐고 있는 사람은 바라는 일이 들어맞는다는 말이 있다. 나는 그 뼈를 가지고 그저 가만히 앉아 바라는 일을 중얼거리고만 있으면 욕구가 충족된다고 말하고 있는 것은 아니다. 세상에 그런 수월한 일은 결코 없다. 인생의 법칙은 씨를 뿌린 만큼 결실을 거두도록 되어 있다. 신념과 용기를 가지고 뚜렷한 목표를 향해 나아가는 사람만이 성공하는 것이다. 그리고 성공을 달성케 하는 힘을 인간적인 박력이라고 한다.

우리는 모두 이런 강렬한 박력 있는 사람을 경외(敬畏)하는데에 의심이 없다. 즉 어깨를 번쩍 뒤로 젖혀서 가슴은 앞으로 활짝 펴고, 턱은 당겨 있고, 눈에는 슬기로운 빛이 있다. 바로 그런 사람이 박력 있는 사람이다.

어떤 회사에도 발을 질질 끌며, 어깨를 움츠리고, 입은 긴장이 풀리고, 얼빠진 눈을 한 사람이 반드시 있다. 이런 사람은 부랑자, 소심한 사람, 패잔병이다.

자기의 결점을 찾아라!

먼저 당신 자신을 재어 보라. 그리고 당신과 더불어 일하고 있는 사람들을 연구하라. 그러면 얼핏 보기만 해도 누가 출세하고, 누가 실패할지 그 운명을 곧 판단할 수 있다.

당신은 제2의 부류에 속하고 있는가? 만일 그렇다면 즉각 그 부류에서 빠져나오지 않으면 안 된다.

> 브루투스여, 실패는 우리들의 별이 나빠서가 아니다.
> 스스로의 탓이다. 우리들이 비천한 것이었다.

말할 것도 없이 이것은 셰익스피어가 쓴 것이다. 그의 작품을 보면, 그도 역시 몸 안의 힘을 구사하며 산 것이 분명하다. 그는 마음 속에 있는 창조하는 힘을 활용하여 평범한 영역을 벗어나 문학사상에 불후의 명성을 떨쳤다.

그렇다. 만일 당신의 현상이 당신이 바라는 바가 아니라든지, 당신이 가야 할 곳에 이르지 못할 듯하다면, 그 원인은 당신 자신에게 있다.

만일의 경우 당신이 내성적이고, 소심하고, 나쁜 버릇이 있거나 폭이 좁은 사람이라면, 그것은 당신 자신의 탓이다. 어떤 경우라도 운명의 별을 불평할 일이 못 된다. 사회를 원망하지 말라. 세상을 저주하지 말라. 당신 자신을 책망하라.

나는 거듭 말한다. 엔진의 기어를 바꾸어 넣어라. 슬로우(slow)를 바꾸어 하이(high)에 넣어라. 그리고 당신이 참으로 이렇게 되고 싶다고 바라는 것을 마음에 그려라. 그렇게 하면 당신의 세계는 전진한다.

그렇지만 사상은 역행하는 수도 있다. 그러므로 주의하지 않으면 안 된다. 올바른 사고방식에 의하여 전진하는 것과 다름없는 속도로 그릇된 사고에 의해서 역행한다.

이러한 '옳지 못한 사고방식'이 경제불황을 가져다 주었다. 그리고 장래에도 또다시 그것을 가져다 줄 것이다.

유(類)는 유를 부른다. 불평은 불평을 부르고, 불안은 불안을 부른다. 경제 사정이 좋지 않다고 생각하는 사람들이 많아지면 경제는 더욱 구렁텅이로 빠지게 된다.

말할 나위도 없이 당신이 망해 들어가면 주위의 것들도 망하게 된다. 기압계(氣壓計)가 내려가면, 그것은 폭풍우의 전조

(前兆)다. 불평으로 비뚤어진 입술은 불평을 넓혀 간다. 당신의 슬픔이나 괴로움을 당신의 주변으로 끌어들이지 말라. 누구나 그런 것을 나누어 받고 싶어 하지는 않는다. 모두 자기의 슬픔과 괴로움으로 가득하다.

찌푸린 얼굴을 펴라 !

당신을 괴롭히는 비탄이나 번민을 깨끗한 보자기에 싸서 흐르는 강물에 버리는 당신의 모습을 상상하라. 이제 비탄이나 번민은 강물에 떠내려가 버렸다.

"그런 일은 도저히 있을 수 없다 !"고 당신은 말할지도 모른다. 내가 거기에 대답한다.

"당신의 마음이나 몸에 끊임없이 무거운 짐이 되어 뒤덮고 있는 것이 당신의 어려운 문제나 근심을 푸는 데 도움이 되는가."

비탄하고 걱정한다고 안 되던 일이 풀리는 것은 아니다.

짓눌린 상태로부터 기어 나오라 ! 아무리 찌푸린 상을 하더라도 이제는 별 도리가 없다. 구조될 수 없는 과거의 무거운 짐으로 인해 비틀거리고 있어서는 당신에게 자립도 없고, 좋은 일을 주변에 끌어들일 수도 없다.

만일 번민에 의해 어려운 문제가 해결된다면, 나는 하루 24시간을 번민만 하겠다. 그렇지만 불행히도 번민이라는 것은 우리들의 괴로움을 더하게 할 따름이다.

이 세상에 살고 있는 만성 번민병 환자들을 일렬로 줄지어 놓는다면, 아마 달나라에 가고도 다시 돌아올 만큼 기다란 행렬이 될 것이다.

비구름이 낮게 깔려 내릴 듯한 표정의 남녀를 당신은 헤아릴 수 없이 보고 있을 것이다. 그들은 장례행렬을 뒤따르며 곡을 하는 남녀들이다. 그들에게 있어서는 오늘의 일은 나쁘고, 따라서 장래도 역시 나쁘게 된다는 뜻이다. 그들은 지금 어느 일에 대해서나 그 착한 면을 볼 힘을 잃고 있다. 그들은 과거에 울고, 장래를 걱정하며, 현재를 즐길 수도 없다.

나의 현명하고 인자한 친구가 이렇게 말했다.

"잠시도 잊지 말게. 인생은 개인 경영의 사업과 같은 거야. 때때로 자기의 생각이나 행동이 다른 사람에게 끼친 데 대한 책임을 어디엔가 전가하고 싶고, 남의 일에 말려 들어간 사건의 억울한 화를 면하고 싶어 하는 일이 있네. 그러나 우리는 인과의 세계—우연하게 일어나는 것은 아무것도 있을 수 없는 세계—에 살고 있는 거야. 우리들에게 일어나는 사건은 좋은 일이건, 나쁜 일이건, 모두 우리들 자신의 원인으로부터 일어나는 걸세."

나는 이런 일을 나 자신의 인생에 있어 실험해왔다. 당신이 그것을 인정할 수 있다면 당신의 생애에도 있었음에 틀림없다. 하지만 내가 이 이야기를 하면, 어떤 사람은 이렇게 대답했다.

"그것은 두려운 사고방식입니다. 실책도, 빈곤도, 질병도, 증오도, 친구가 없는 것도, 그리고 불행도…… 모두 내가 끌어들였단 말입니까?"

"그렇습니다. 만일 그러한 일이 당신에게 있었다면, 그것은 당신 자신의 책임입니다."

내가 대답하면 그는 이렇게 말하는 것이었다.

"나는 그런 것을 마음의 그림으로 그린 일도 없습니다."

그렇다. 아마 그대로일 것이다. 실책이나, 자금난, 과로로 쓰러졌던 일, 세상의 불평, 친구의 배신, 자기의 몰락 등을 그대로 마음의 그림으로 그리고 바라지는 않았을 것이다. 그러나 당신의 마음의 태도가 그런 식으로 기울어져서 이렇게 표현된 일은 없었는가?

"나는 이런 경우를 당하지 않겠습니까?"

"그런 일을 해도 허사다. 아무리 해도 나는 안 된다!"

"나는 그(또는 그녀)를 만나고 싶지 않다……. 그린 사람과 사이좋게 될 리는 없다!"

"이렇게 된 것은 모두 내 운이다. 언제나 나쁜 운만 끌어들인다."

"나는 아무래도 싫은 기분이다. 차라리 죽는 편이 낫겠다."

"나는 도산(倒産)이다. 벗어날 길이 도대체 없다."

"오늘은 퍽 몸의 컨디션이 좋다. 그렇지만 이런 일은 별로 기쁘지 않다. 내일은 틀림없이 나빠질 걸 뭐!"

얼마나 멋진 암시들인가? 사람의 마음이라는 것에 대해 당신이 이미 배운 바에 비추어 이런 사고방식을 가지고서 과연 좋은 일을 끌어들일 수 있을까? 상상해 보면 된다.

이런 사고방식으로는 그 반대의 단 한 가지 결과밖에 나오지 않는다. 더구나 우리도 침울해질 때는 이런 말을 자신도 모르게 하게 되고, 자기는 어째서 이렇게 운이 나쁜가 하고, 돌연 투덜거리고 싶어진다.

어떤 일에도 기세를 꺾이지 말라 !

현재의 상태에서 당신 자신을 계산하라 ! 알고 있듯이 우
리는 지금 두려운 시대에 살고 있다. 참으로 경이의 시대다.
마음의 준비가 없는 사람에겐 참으로 곤혹과 공포의 시대이
다.

생활 템포와 사건 발생은 급속히 빈도를 더해 가고 있다.
사람의 마음으로는 도저히 파악할 수 없을 만큼 급속하게 모
든 것이 전개되어 간다. 더욱 더 세상을 놀라게 하는 일들이
출현한다. 몇 년 전에는 불가능하다고 생각되던 일들이 이미
완성되었다. 이제부터 앞으로 어떤 일들이 일어날지 알 수 없
지만, 더욱 놀랄 만한 일이 일어날 것은 분명하다.

당신은 마음을 단련하여 몸 안에 있는 창조하는 힘을 활용
하여 다가오는 변천에 당신 자신을 적응시키지 않으면 안 된
다. 그렇게 함으로써만 비로소 변천에 대한 통찰력과 이해와
용기를 가질 수 있다.

당신은 진리를 받아들이는 방법을 배워야 한다. 당신의 경
험이나, 이성이나, 직감에 호소하는 것을 어떻게 받아들여야
하는지도 알아야 한다. 그리고 미지의 것에 대한 판단을 보류
하고 당신의 생활에 있어 그것을 테스트하고, 또한 실증할 때
를 기다리지 않으면 안 된다.

마음에 관한 법칙을 아는 것만으로는 족하지 않다. 당신의
마음을 법칙에 따라 작용시키는 방법을 배워야 한다.

다음과 같은 먼 옛날의 속담을 당신은 들은 일이 있을 것

이다.

> **실천이 따르지 않는 신앙은 죽은 것과 같다.**

만일 당신이 몸 안에 있는 창조하는 힘을 발현시키고 싶다면, 당신 자신이 그 작용을 일으키지 않으면 안 된다. 그렇게 해야만 비로소 그 힘은 옛부터 사람을 위해 한 일을 당신을 위해 실행할 수 있고, 또 현재 사람을 위해 하고 있는 일을 당신을 위해 실행할 수 있다.

운이 좋은 사람이란 모두 어떻게 하면 바람직한 영상을 가질 수 있는지, 어떻게 하면 번민이나 공포를 없앨 수 있는지, 어떻게 하면 어떤 환경에 처하더라도 평정을 유지할 수 있는지, 어떻게 하면 적극적인 마음의 준비를 갖출 수 있는지, 어떻게 하면 무거운 압력 밑에서도 참고 견딜 수 있는지 등을 분별하는 사람들이다.

그것이 곧 당신의 인생목표이어야 하고, 이 같은 일을 당신도 달성하지 않으면 안 된다. 오늘날과 같이 템포가 빠른 세계에서는 그것은 당신의 유일한 안내인이며, 몸을 지키는 단 하나의 길이라고 할 수 있다.

편협한 생각은 버려라 !

자, 여기서 당신은 폭이 좁고 제약된 사고방식을 버릴 마음의 준비를 해야 한다. 현재 아무리 어려운 일에 처해 있다 하더라도 할 수 없다는 말은 두 번 다시 해서는 안 된다. 편협한 사고방식을 가지고 당신의 마음을 위축시키거나 속박해서는 절대적으로 안 된다. 다른 사람에 대하여 원한이나 적의나 증오, 혹은 그와 비슷한 감정 반응으로부터 당신의 의식을 깨끗이 씻어 버리지 않으면 안 된다. 더럽혀진 사고방식으로는 바르게 사물을 생각할 수 없게 되고, 자기나 다른 사람에 대하여 올바르게 판단할 수 없게 된다. 당신의 향상을 방해하고, 창조하는 힘이 몸에서 솟구치는 것을 방해한다.

그릇된 사고방식이 당신에게 끼친 영향은 마음먹기에 따라 일소할 수 있다. 그를 위해서는 자기의 감정을 컨트롤하지 않으면 안 된다. 어떤 방법으로 육체를 휴식시키고, 또 어떤 방법으로 소망하는 것을 마음에 그릴지 그 방법을 알지 않으면 안 된다. 의식 속에 저장되어 있는 과거의 그릇된 생각과 지금 당신에게 달라붙어 있는 것을 어떻게 축출할 수 있는지 그 방법을 배워야 한다.

유(類)는 유를 끌어들인다. 그러므로 선은 선을 끌어당기고, 악은 악을 부르는 것이다.

사람들은 나에게 이렇게 말한다.

"하지만 나는 과거를 잊으려고 노력하고 있습니다."

아아, 그렇지만 마음은 그렇게 생각하는 대로 잘 들어 주지는 않는다. 일단 의식 속에 새겨 둔 것은 당신이 단호하게 처치하지 않는 한 언제까지고 달라붙어 떨어지지 않는다.

누군가의 말과 행동이 못마땅하여 당신은 몇 차례 벌컥 화낸 일은 없는가? 그 때의 장면을 당신은 마음의 그림으로써, 혹은 강한 분노로써 마음에 받아들이고 있는 것이다.

그 사람에 대하여 상기하면, 당신의 감정은 치밀어 올라 그것을 극복하지 않는 한 용이하게 물러가지 않는다. 그 감정을 말끔하게 바꾸지 않는 한, 언제까지고 답답하고 초조한 기분이 남아 있다. 조급함은 결국 자기 몸의 부자유함이나, 병으로 되어 나타나거나, 무언가 사람들과의 접촉에 반영하게 된다.

이러한 과거의 초조한 마음을 그대로 두고, 똑같은 혼란한 상태를 끌어들여 당신의 장래에 재현시키려는가? 만일 그렇지 않다면 한시 바삐 그 분노의 감정을 당신의 의식으로부터 지워 버리지 않으면 안 된다.

자기를 속이지 말라 !

당신은 자기 자신을 분석해 보는 것이 좋다. 아무리 절친한 친구나 친척보다도 참으로 당신을 아는 것은 자신이다. 자기의 참다운 생각이나 감정을 당신은 다른 사람에게 숨겨 왔는지도 모른다. 그러나 무언가 혹은 누군가에 대하여 진실로 생각하고, 또 느끼고 있는 것이 좋지 못한 것이라면 서둘러 좋은 것으로 바꾸어야 한다.

다른 사람이 당신에게 한 일을 용서하라. 당신도 거기에 책임이 있다고 생각하라. 분노, 원한, 증오를 품지 말라. 그것은 당신의 마음이나 몸을 좀먹어, 당신의 육체조직에 혼란을 일으키고, 모든 질환이나 사고의 원천이 된다. 의사들은 최근 관절염, 류머티즘, 간질의 일부 및 신경이나 감정에 기인하는 다른 많은 질병들은 모두 여기에 기인한다고 말하고 있다. 암환자도 만일 감정을 억제하여 무서워하지 않고 낙관할 수 있는 사람이면 병세의 진행이 둔화된다고 알려지고 있다.

마음 속의 '그것'은 한 번 그 사용법을 알기만 하면 무한한 힘, 즉 극복력, 치유력, 창조력, 흡인력을 발휘하는 것이다.

이 힘의 발휘는 전적으로 당신에게 달려 있다. 당신은 그 노력을 할 수 있는가? 만일 그럴 마음이 있다면 나와 함께 한 장 한 장 배우고 또한 실천해 나가면 된다. 그리고 함께 여행 목적지에 닿을 때는 당신의 어려운 문제는 해결되고, 당신은 성공을 향하는 행복의 길을 자신의 힘만으로도 걷게 될 것이다.

빛나는 삶의 실현

마음에 그림을 그리는 법

네 마음 속을 파라. 거기에는 훌륭한 샘이 있다.
물은 끊기는 일 없이 펑펑 솟구칠 것이다.
네가 영구히 파기를 멈추지 않는다면.

당신이 실제로 '그것'을 손에 넣고 컨트롤하여 지령하게 될
때까지, 마음이라는 것은 어떠한 기능이 있는 것인지 알아 둘
필요가 있다.

주지하는 바와 같이 창조하는 힘은 마음 속의 가장 귀중한
부분이다. 그렇지만 그것은 달아나기 쉽고, 다루기 힘들어 의
식적으로 그것에 연계를 갖기는 쉬운 일이 아니다. 그러므로
그것을 바라기 전에 먼저 의식의 심오한 작용을 잘 이해해
두어야 한다.

예를 들면 우리가 사물을 생각하는 것은 사실상 말에 의하
는 것이 아니라, 그림으로써 생각한다는 사실을 당신은 깨닫
고 있는가? 우리는 말에 의하지 않고, 그림으로 생각하기 때
문에 마음이 '기계적'으로 작용한다. 이러한 조작은 수천 년

전에 지상에 살고 있던 원시인의 마음의 작용과 조금도 바뀐 것이 없다고 하겠다.

원시인은 언어가 형성될 때까지는 그림으로 생각하고 있었다. 그들이 동굴에서 수렵을 나갔다가 다시 동료부족들에게 돌아오면, 그 날에 일어났던 일들을 동료들에게 전하는 유일한 방법은 서툰 그림을 그리는 것이었다. 똑같은 사건을 그림으로 표현하여 몇 번이고 거듭 되풀이하여 그리는 동안에 어떤 물건이나 어떤 사건을 그것과 관계되는 소리와 관련시키게 되었다. 그리하여 만일 누군가가 무언가 낯익은 그림을 그리기 시작하면, 보고 있던 사람들은 곧 그 뜻을 알아차렸다. 이러한 초기의 그림은 이윽고 무언가를 상징하는 형상의 것으로 발전하였고, 그러한 그림이 결합되어 문자가 되고, 말이 되고, 이어서 문장이 되었다. 이와 같이 하여 최초의 언어가 생기게 되었다.

그러나 우리들이 자랑으로 여기는 문명은 오늘날처럼 향상되었음에도 불구하고, 인간의 근본에 있어서는 여전히 그림으로 사물을 생각하고 있다. 나는 그것을 용이하게 증명할 수 있다.

잠깐 생각을 돌려서 먼저 오늘 당신이 체험한 어떤 조그만 사건을 돌이켜보면 된다. 그것을 상상하면, 당신이 무엇을 하고 있는 모습, 어디엔가 있는 모습, 누구와 만나고 있는 모습, 가령 무엇이 되었든 그 모습이 마음 가운데, 마치 마음 속의 눈으로 보는 것처럼 보이게 될 것이다. 그러나 그 사건을 나에게 들려 주기 위해서는 당신은 그것을 상징하는 말을 찾아내지 않으면 안 된다. 나로서도 당신의 이야기를 들으면서 그

말을 나의 마음 속의 눈으로 보는 그림으로 번역하여 당신의
체험을 마음으로 본다고 하는 형식으로 이해하여야 한다.

그러므로 내가 말한 대로 당신은 근본적으로는 그림에 근
거하여 사물을 생각한다는 것이 명확하다. 이것은 당신이 자
기의 마음을 아는 데 대한 가장 중요한 점의 하나다.

창조하는 힘은 자력과 같다

창조하는 힘은 자석과 같이 작용하기 때문에 자석처럼 자
성(磁性)을 가졌다고 해도 잘못은 없다. 당신이 욕구하는 것
을 강렬하고 명확한 그림으로 하여 그 창조하는 힘의 곁으로
보내 주면, 창조하는 힘은 작용을 일으켜 당신의 주위에 강한
자장(磁場)을 만든다. 그리하여 물건이나 사람의 조력, 기회나
주위의 상황, 그리고 당신이 만나고 싶어 하는 사람 등 무엇
이고 당신을 위해 곁으로 끌어당긴다. 말하자면 당신의 그림
이 당신의 외부 세계에서 구현하도록 일을 옮겨다 주는 것이
다.

당신은 이런 일을 믿기 어려운가? 그럼 당신의 발생을 돌
이켜라. 무언가 좋지 못한 일이 일어나지 않을까 하고 두려워
하면서 지냈을 때, 그리고 그 두려운 일이 결국 사실 그대로
일어났을 때, 그때의 일을 상기해 보라. 당신은 그렇게 깨닫
지 않았는지도 모르겠지만, 당신의 그 공포심의 영상은 몸 안
에 있는 '그것'에 강렬한 인상을 주어, '그것'이 나쁜 사태를
당신 곁으로 불러들인 것이다. 그렇지 않으면 당신이 두려워
하고 있던 그 일에 대하여 당신 자신이 아주 느끼기 쉽게 되

어 있었던 것이다.

알고 있는 바와 같이 이 창조하는 힘이 이성을 작용시키는 일은 하지 않는다. 전적으로 이성이 창조하는 힘을 자극한다. 당신이 좋은 생각을 하면 좋은 쪽으로, 나쁜 생각을 하면 나쁜 쪽으로 작용한다.

창조하는 힘은 그 명령대로의 것을 만들어 낸다. 이 내부의 힘은 TNT이기 때문에 당신이 건설적으로 생각하느냐, 아니면 파괴적으로 생각하느냐에 의해서 당신의 이익으로도, 또 이롭지 않게도, 어느 방향으로나 작용을 일으키게 된다.

이제 당신은 좋은 일이나, 나쁜 일이 어떤 식으로 당신의 생애에 나타나는가를 이해하였을 것으로 짐작한다. 지금도 '그것'은 꾸준히 당신을 위해 작용하고 있다. 때문에 당신에게 나타난 결과가 어떤 것이었는지는 당신이 어떠한 마음의 영상을 '그것'에 보내 주었느냐에 기인하는 것이다.

> **당신의 가슴과 마음에 그리는 그림이 그대로 당신의 모습이다.**

이미 의심의 여지가 없다(의식의 작용을 이해한 사람들은 옛부터 그것을 의심치 않았다).

이러한 중대한 사실을 꾸준히 당신의 염두에 두길 바란다. 당신의 나날을 그 사고방식의 지배 아래에 두면 된다. 정신적으로나 감정적으로도 혼란이 일어나고, 불행하고, 파괴적인 그림이 마음에 나타날 때면 다음과 같이 주의를 기울이면 된다.

이러한 영상에 창조하는 힘이 작용하더라도 잘못은 없을까? 이러한 공포나 욕구가 자성을 띄고, 같은 사태를 끌어들여도 관계없을까?

만일 그렇게 되기를 원치 않으면, 그와 같은 영상은 바로 제거해 버리지 않으면 안 된다.

그리고 더욱 좋은 영상과 바꿔 놓아야만 한다. 두려움이나 원망, 증오나 질투, 그밖에 그것과 비슷한 감정을 모두 제거하고 아름다운 감정이나 올바른 마음으로 전의 것과 바꿔 놓도록 하라. 그렇게 하면 장래 당신에게 착용할지도 모르는 그릇된 영상을 그 즉시 억제해 버릴 수 있다.

TNT를 오용하지 말라 !

고성능 폭약인 TNT를 바르게 사용하면 훌륭한 위력을 발휘하지만, 만일의 경우 그릇된 방법으로 점화하면 당신을 '흩날려' 버릴 우려가 충분히 있다.

일단 마음 속으로부터 그릇된 영상이나 감정의 반응을 일소해 버리면 당신은 강한 신념을 가질 수 있고, 좋은 일을 마음의 그림으로 하여 달성토록 할 것이다.

신념은 창조하는 힘, 즉 내부에 있는 '그것'에 활력을 준다. 이에 대해서는 뒤에서 더 자상하게 설명하겠지만, 여하튼 당신의 마음에 그린 것은 반드시 구현된다고 믿어야 한다. 의심은 금물이다. 의심은 당신의 그림을 부수고 창조하는 힘의 자성을 잃게 한다. 그러므로 결국 불완전한 결과가 되거나 아니면 잘못된 결과로 끝나게 된다.

어떠한 욕구라도 흡사 그것이 이미 달성된 것으로 마음에 그려라. 그렇지만 당신이 도달하려는 목표에 이르기까지 하나하나의 단계는 오히려 그리지 않는 편이 좋다. 당신의 의식의 작용은 국한되어 있으므로—결국 당신의 오감(五感)은 국한되어 있으므로—당신이 어떤 식으로 움직이는 것이 최선의 방법인가를 의식적으로 알기는 어렵다. 그러나 잠재의식, 즉 내부에 있는 '그것'은 시간이나 공간에 제약되지 않는다(이에 대해선 뒤에 설명한다).

잠재의식은 온갖 형태로 동시에 기능을 발휘할 수 있다. 그러므로 당신이 아직 의식적으론 감지하고 있지 않는 일에도 당신을 접촉시키는 것이다. 따라서 당신이 마음에 그리는 것을 달성하기까지는 일련의 쇠사슬처럼 이어져야 한다. 내부의 힘은 그 쇠사슬의 일환으로 끼우는 데 필요로 하는 것들을 당신 곁으로 끌어들인다. 당신이 끈기 있게 날마다 마음의 그림으로 그려 마음의 핵심에 닿을 듯한 욕구를 가지고 있도록 노력하면, 그에 따라 모든 것은 끌려오게 된다.

이것은 손쉽게 이용할 수 있는 기술이다. 마음에 영상을 만드는 기술을 습득하면 적당한 시기에 반드시 틀림없는 성과를 안겨 주게 된다.

그렇지만 인간의 마음에는 두 가지 형태가 있음을 분명히 해 두어야 한다. 하나는 뚜렷하게 마음에 그리는 형태, 또 하나는 감정을 가지고 느끼는 형태다. 만일의 경우 당신이 일생

악마도 자기의 목적을 위해서는 성서를 인용한다.

의 욕구를 마음의 눈으로 보는 그림을 그리기가 익숙하지 못
하다고 판단되면, 그렇게 무리해서까지 그리려 하지 않아도
된다. 아마 당신은 느끼는 형태인지도 모른다.

그렇다면 이렇게 하면 된다. 즉 당신의 마음 속 깊숙한 암
실에 하나의 초점을 상상하고 거기에 집중적으로 생각하라.
그리고 당신의 욕구하는 것이 의식 속에서 달성되었다는 사
실을 마음 기울여 느끼도록 하라. 그렇게 하면, 그 뒤부터는
자성을 가진 창조하는 힘이 외부의 현실 세계에서 구체화해
준다. 그것을 기다리는 것만으로 된다. 이렇게 하면 뚜렷하게
마음에 그리는 사람과 다름없는 결과를 얻을 수 있게 된다.

휴식할 줄 알아라 !

욕구를 향하여 당신의 마음을 집중하기 전에 먼저 몸을 편
안하게 하고, 의식하는 마음도 수동적으로 만들어 주는 방법
을 알아 두어야 한다. 이는 설명할 필요도 없는 일이다.

당신은 참다운 휴식을 할 수 있는가? 당신은 마음과 몸을
자연스럽게 내던져 긴장을 풀어 버릴 수 있는가? 그리고 명
상하거나 영상을 보고 있는 동안 자기의식을 없애 버릴 수
있는가?

몸과 마음을 안정시키기가 무척 어렵다고 호소하는 사람들
이 많다. 목 뒤, 눈 뒤, 명치 등의 어딘가에 불쾌한 기분을 느
끼게 된다는 것이다. 마음이나 몸의 안정을 시도해 본 후에야
비로소 그 때까지 자기는 얼마나 긴장하고, 신경질적인 인간
이었는가를 깨닫는다고 사람들은 말한다. 또 어떤 사람은 공

포나 불안, 그리고 번뇌, 그 밖의 모든 잡념들이 서성거려 마음이 안정되지 않는다고 한다.

그것도 당연한 일이라고 나는 생각한다. 그 정도까지 열병을 앓는 듯한 하루하루를 보내는 사람들이 수없이 있다. 우리는 생각한다는 데 대하여 그만큼 나쁜 습관을 만들어 내고 있다. 감정을 확실히 제어할 수 있는 사람은 거의 없다. 사소한 일로 마음이 뒤엉킨 하루를 진종일 안고 돌아다닌다. 밤에 집에 돌아와 쉬며 기분을 전환하고, 건설적인 일을 생각하려 해도 마음의 혼란은 더욱더 귀찮게 따라다닌다. 결국 조용하게 되면, 되려 그 날에 일어난 일들이 마음에 되살아나서 어슬렁어슬렁 의식의 표면에 나타나 연극처럼 연출되기 시작한다.

어떻게 하면 거기에 종지부를 찍을 수 있을까?

이것은 중대한 문제다. 그것에 대한 대답을 얻을 수 있는지의 여부는 당신에게 있어 심각한 중대문제다. 적어도 당신이 욕구하는 목표에 확신을 가지고 명확히 마음에 그리려 한다면 어쨌든 해답을 얻어야 한다.

의식하는 마음에 동시에 둘 이상의 사고를 갖기는 불가능한 것으로 알려지고 있다. 그러한 일을 당신은 들은 일이 있는가?

그것은 옳은 견해이다. 어떤 일정한 시간에는 당신은 하나의 사고밖에 의식에 가질 수 없다. 마음을 집중하는 비결은 의식 가운데 있는 상상상의 초점—말하자면 마음 속에 있는 스크린—에 주의를 고정시킬 일이다.

당신의 기억 속에 가장 평화롭고 아름답다고 생각하는 풍경이나 장소는 어디인가. 어느 곳에 있으면 가장 평안함을 느끼겠는가. 그것을 스크린 위에 그리고 그 곳에서 당신이 휴식을 취하고 있다고 생각하라. 그리고 당신의 주의를 그 위에 고정시켜 두면, 궤도를 벗어난 그 밖의 사고나 공포나 번민 등이 그 스크린 위를 서성거릴 수는 없을 것이다.

자기의 그림을 영사하라 !

여유 있게 조용히 휴식하고, 당신이 바라는 그림을 그 스크린에 비추라. 그러나 그림을 너무 길게 거기에 멈춰 둘 필요는 없다. 내부의 창조하는 힘이 그 영상을 받아들였다고 짐작되면 곧 자기에게 이렇게 들려 주라.

"됐다, 일은 끝났다. 창조할 수 있다."

당신의 영상이나 감정에 한층 더 강한 신념을 불어넣을 수 있다고 생각될 듯한 말이라면 어떤 말이든 그건 상관없다.

사진기로 사물을 찍을 때 당신은 카메라를 몇 번이고 열어 보고, 그 안에 네거티브가 잘 찍혔는지의 여부를 조사하거나 하지는 않을 것이다. 창조하는 힘, 즉 내부에 있는 '그것'이 당신을 위해 현상을 모두 인수해 줄 것으로 믿으라. 당신의 마음의 그림을 이제야 구체화하기 시작했다고 즐거운 마음으로 대하면서 일상 활동을 계속하라.

자, 그럼 여기서 문제가 되는 것은 마음에 그린 목표를 구현하기 위해서 당신은 무엇을 하면 좋은가이다. 창조하는 힘이 당신의 일을 모두 인수해 주는 것으로 생각하고, 팔짱을 끼고 그저 가만히 앉아 있으면 된다는 뜻은 결코 아니다.

당신이 암시를 계속하면 그것은 신념이 된다. 예를 들어, 당신이 일억 원의 돈을 벌려고 생각하고 있을 때, 당신은 "나는 일억 원의 돈을 번다."를 계속 되풀이해 암시한다. 그러면 잠재의식은 그 말을 그대로 받아들여 당신에게 어떤 예감이나 느낌으로 그 방법을 제시하여 당신을 분발시키려고 한다. 행동으로 옮기기를 명령하는 것이다. 이 때 당신은 즉시 마음의 지시를 행동으로 옮겨야 한다.

당신의 열성을 이 창조하는 힘으로 나타내는 가장 좋은 방법은 당신 스스로 일에 착수하고, 목적 달성을 향하여 당신이 할 수 있는 데까지 노력해야 한다. 그러다 보면 당신이 겨누는 목표보다 더 좋은 일을 이루게 되는 수도 있다.

빌 맥다니엘은 뉴욕에 사는 수완이 뛰어난 보험외무원이다. 그는 마음이라는 것의 위력을 믿었다. 자기의 성공은 마음의 힘을 충분히 길렀기 때문이라고 생각했다. 생명보험이나 연금보험의 계약을 사람들에게 권유할 때, 그 일이 이미 자기의 뜻대로 이루어졌다고 생각했다. 만일 그것이 어떤 상품이라고 가정한다면 마치 포장을 끝내고 고객의 손에 건네기 직전의 것이라는 절대적인 신념을 가졌다.

모든 일이 잘 되어 가는 그림을 마음에 그리고 있기 때문에 항상 유쾌한 기분을 유지할 수 있었다. 그리고 계약이 체결되기까지의 모든 준비에 만전을 기했다. 때로는 무리하게 강행해서는 안 된다고, 직감적으로 느끼는 일도 있었다. 그런 때는 희망을 가지고 조용히 기다렸다. 결국 거래의 판가름에 나서는 게 좋겠다고 제육감(第六感)이 가르칠 때에는 그는 거기에 따랐다.

월가(街)의 어느 브로커에게 5만 달러 연금보험을 권유했을 때가 그 방법의 전형적인 것이었다. 이 브로커는 보기 드문 고집쟁이여서 동업자들 사이에서도 평판이 있는 사람이었다. 시간을 지키는 일엔 일종의 신경병 환자 같았다. 사람들과 약속하고 만일 상대자가 5분이라도 지각하는 날이면 절대로 만나 주지 않았다. 스스로 대단한 실력자인 척하여 언제나 시간이 바쁜 듯이 행동했다. 여행 중이어서 비어 있는 일도 많고, 면회예약을 하는 데도 무척 어려웠다.

어느 날 아침, 희귀하게도 맥다니엘은 행운을 잡았다. 빌이 전화를 걸자, 이 고객은 오전 11시 정각에 만나자고 약속해 주었다. 빌은 약속시간에 어긋나지 않도록 넉넉히 여유를 가지고 지하철을 탔다. 월가에 가려면 타임즈 스퀘어에서 지하철을 바꿔 타야 한다. 매우 혼잡한 군중을 헤치며 걸음을 재촉하기 시작했다. 그런데 한 외국 태생의 몸집이 작은 노파가 핸드백을 꼭 붙잡고 울고 있었다. 아마도 익숙하지 않은 환경에 공포를 느끼고 당황해서 그런 모양이었다.

아무도 거들떠보는 사람이 없다. 뉴욕과 같은 큰 도시에서는 거의 매일처럼 있는 일로 사람들의 시선도 끌지 못하는 하찮은 비극 중의 하나였다.

이 불쌍한 노파의 모습은 지금 막 플랫폼에 들어온 전차를 목표로 계단을 내려온 빌의 가슴에 마음의 그림으로 되어 남았다. 그가 잠깐 시계를 들여다보니, 마침 11시 20분 전이다. 2,3분만 있으면 다음 전차가 곧 온다. 그것을 타도 시간에 댈 수는 있다. 그는 되돌아서 계단을 두어 개 뛰어올라 불쌍한 노파에게 다가갔다.

"할머니."

그는 소리를 질렀다.

"어떻게 된 겁니까? 길을 잃었습니까?"

그 노파는 구조되었다는 표정으로 그를 올려다보았다.

"할머니의 행선지는 어딥니까?"

그 노파는 머리를 흔들어 보이며

"몰라요." 했다.

"그렇다면 할머니의 주소와 이름을 알려 주십시오."

"몰라요."

그녀는 구슬프게 말했다. 노파는 긴장과 걱정이 지나쳤던 탓으로 멍청해져서 생각도 떠오르지 않는 모양이었다.

"할머니, 뭔가 적은 게 있으면 보여 주십시오."

그가 손을 내밀자 노파는 핸드백을 내밀었다. 그 너덜너덜한 주머니 속을 찾아보니 주소를 적은 종이쪽지 하나가 나왔다. 거기에는 여자 이름과 브룩클린구(區)의 번지가 적혀 있었다. 그것을 노파에게 읽어 주고,

"이게 할머니 따님?"하고 물었다.

"그래, 그래!"하고 노파는 밝은 표정을 지으며,

"내 딸이야!"하고 말했다.

"거길 가시려는 겁니까?"

"그래, 그래!"

빌은 노파의 팔을 잡고 이렇게 말했다.

"할머니, 같이 가십시다. 걱정하실 거 없어요. 이제 됐어요. 그 주소로 가는 전차를 태워 드리지요."

노파를 데리고 계단을 내려가자 마침 브룩클린 행 전차가

막 발차할 참이었다. 그는 맨 앞에 있는 차장을 손을 흔들어
부르고 큰 소리로 외쳤다.

"기다려요! 이 할머니는 길을 잃었어요. 여기 행선지가 적
혀 있습니다. 브룩클린에 있는 딸한테 가려는 겁니다. 그 역
에서 내려 역장에게 부탁해서 차를 태우든지, 그렇잖으면 딸
한테 전화를 걸어 마중을 나오게 해 주지 않겠습니까?"

"좋습니다. 알았습니다."

차장은 주소를 쓴 종이쪽지를 받아 들면서 말했다.

"타세요, 할머니. 제가 보살펴 드리죠."

빌은 이 조그만 할머니가 무사히 전차에 타는 것을 지켜봤
다.

기회는 언젠가 찾아온다

그리고 빌은 다시 시계를 봤다. 11시 7분 전이다. 이제 약
속은 지키기 어렵게 되었다. 월가로 가기는 틀렸다. 고객은
만나 주지 않는다. 만일 이것이 빌이 아니었다면 아마 이렇게
말했을 것이다.

"이것이 친절을 베푼 보답인가. 허울 좋은 말이다. 5만 달
러짜리 계약은 날랐다."

괴로운 실망이 그의 어깨를 짓누르는 듯했다. 그도 그것을
인정하지 않을 수 없었다. 이 계약을 체결할 계획은 몇 주일
전부터 짜고 있었다. 더구나 이런 기회에 뜻하지 않은 방해가
기다리고 있을 줄이야……

할머니의 구조는 누군가 더 시간 여유가 있는 사람이 할

수도 있었을 것이다. 그런데 무슨 까닭에서인지 그 노파를 돕지 않고는 그대로 지나칠 수가 없었다. 아마 이러한 생각 때문이었을 것이다.

'그분은 누군가의 어머니다. 만일 나의 어머니였다면 도움을 준 누군가를 나는 얼마나 고맙게 생각할 것인가!'

큰 계약은 놓쳤지만 그는 가기가 한 일을 기뻐했다. 만일의 경우 자기 일만을 서둘러 그대로 지나쳤더라면, 애처롭게 호소하는 듯한 시선, 절망적이고 비통한 생각으로 도움을 기다리는 저 가련한 표정은 두고두고 그를 괴롭혔을 것이다. 그렇지만 오늘과 같은 고객은 이제부터 그렇게 흔하지는 않다……

이윽고 자기 사무실로 돌아가려고 다시 지하철을 타려 했다. 이 때 또 한 사람의 고객의 사무실이 바로 근처 42번가와 5번가의 로터리에 있다는 생각이 문득 머리에 떠올랐다. 한 달 반쯤 전에 그 사람에게 10만 달러의 연금보험 계산서를 두고 온 일이 생각났다. 그 뒤 이 사람은 유럽으로 여행 중이었고, 최근에 돌아온 것을 신문에서 알았다. 바로 이 근처이므로 잠깐 들러 인사나 해 두어도 별로 나쁘지는 않을 것 같았다.

그러나 들러 보니 응접실은 면회를 하러 온 사람들로 가득해서 빌은 되돌아섰다. 기다려도 소용없을 것 같아 단념하고, 엘리베이터 쪽으로 걸어가다 보니 고객의 사실(私室)의 문이 복도 쪽으로 열려 있었다. 마침 8월의 무더운 날씨로 바람을 통하게 하려는 참이었을까?

깊이 생각해 보지도 않고, 빌은 넓은 홀을 건너 그의 방을 기웃거렸다. 놀랍게도 그 사람은 홀로 책상 위에 있는 무언가의 서류를 검토하고 있었다. 그는 빌 쪽을 돌아봤다. 두 사람의 시선이 딱 마주치자 그는 반갑다는 듯이 소리쳤다.

"빌 맥다니엘!"

"이리 들어오게나! 이것은 참으로 우연의 일치인데! 마침 자네한테 전화를 걸려던 참이었네! 자네네 연금보험에 대해서 조사하고 있던 참이야. 어젯밤 자동차 사고를 당해서 보험을 좀더 늘려야겠다고 생각하던 중일세."

"그렇지만 당신은 지금 몹시 바쁘시지 않습니까? 응접실에 손님들이 많이 기다리고 있습니다."

"기다리게 해도 괜찮아. 이쪽 일이 훨씬 더 중요해."

40분 뒤 빌은 10만 달러짜리 계약증서를 깊숙이 간직하고 그 곳을 나왔다. 이것은 저 조그마한 노파 덕분이 아니었을까? 당신도 이미 이야기의 포인트를 파악했으리라 짐작한다.

"그것은 내 일생의 가장 큰 교훈이었습니다."

빌은 이렇게 말하고 나서 다시 부연했다.

"강 위에 빵을 버린다는 속담이 있는데 그 빵은 과자가 되어 돌아옵니다!"

여기에는 당신에 대한 교훈이 있다. 당신이 바라는 것을 될 수 있는 한, 훌륭하게 마음에 그려라. 그리고 당신의 영상이 당신의 노력으로 구현되도록 최선을 다 하라. 만일 잘 되어가지 않더라도 무언가 목적에 가깝거나 아니면 그 이상의 것으로 된다는 신념을 가지라. 그렇게 하면 진정 훌륭한 일로 되어 나타나는 일이 많다.

'그것'을 보증한다는 사고는 자연계의 법칙으로 인해 당연히 불가능한 일을 제외하곤 모든 일이 구현된다. 뒤가 이어지지 않는 고립된 사고—나타났다가는 그대로 사라지는 섬광뿐인 것—는 목적도 의미도 없이 부심하는 부평초를 닮았다. 하지만 이와 같은 하나의 사고가 당신이 욕구하는 것의 영상이 되어 오래도록 간직하고 있으면 그것은 흡사 자석처럼 목적물을 끌어당긴다. 자석이 강력할수록 자력도 강하다. 꾸준히 간직되는 사고도 마찬가지다. 강력할수록 더 많은 것을 끌어당긴다.

마치 거대한 렌즈로 태양광선을 모아 한 점에 초점을 맞추면 불이 일고, 타서 구멍이 뚫리듯이 강력하고 꾸준한 사고(싱싱하게 약동하는 마음의 영상)도 그 목적물을 향하여 같은 작용을 한다. 다만 당신은 목적, 또는 이상으로 하는 것을 흡사 실재하는 것으로서 마음의 그림으로 보지 않으면 안 된다. 그렇게 하면 마치 마술처럼 모든 것은 쇠고랑에 이어진 일련의 쇠사슬로 완성되어 간다.

그럼 여기서 당신의 마음에 단단히 새겨질 때까지 처음부터 다시 한 번 이 장을 읽으라.

꿈의 실현

꿈은 인생의 안내인이다.
인간은 그것이 없으면 확실한 방향을 찾을 수 없다.
방향이 없으면 행동할 수도 없고 생활할 수도 없다.

'일생의 꿈'이라는 말이 있다.

"나는 꿈에서나 봐야지. 그것으로 만족할 수밖에 없어."라고 말하는 사람을 당신도 본 적이 있을 것이다. 이 절실한 느낌의 말은 꿈을 실현할 확신도 없는, 체념의 마음가짐이다.

그렇지만 사실은 자기의 욕구를 꿈에 그리고, 그 꿈을 믿는 사람이야말로 장래를 자주적으로 창조해 가는 사람이다.

만일의 경우 당신이 은밀한 욕구, 소위 '일생의 꿈'과 같은 것을 갖지 않는다면, 당신은 일반적으로 상식 있는 사람이라고는 말할 수 없을 것이다. 누구에게 밝히지는 않더라도 자기가 무언가 하고 있는 모습, 어떤 지위에 오른 모습, 어떤 것을 입수했을 때 등을 꿈꾸게 된다. 그리고 그 꿈같은 현상이 실재하는 것으로 생각하여 가끔 빙그레 미소를 짓는 일도 있는 것이다.

그러나 그 꿈에 자기의 감정이나 신념을 집중하는 사람은 좀처럼 없다. 만일 그 꿈을 허황된 것으로 보지 않고, 성실하게 생각하여 반드시 현실의 것으로 바꿔 놓겠다는 신념을 가질 수는 없는 것일까?

"내가 그런 일을 할 수 있다고는 도저히 생각도 못합니다. 그러나 꿈만이라도 꾸고 있으면 즐겁습니다."

유럽여행을 백일몽으로 하고 있는 한 미망인이 나에게 그렇게 말했었다. 진정으로 그것을 원하고 있으면 반드시 그렇게 되는 것이라고 내가 확언하자, 그녀는 웃으며 이렇게 말했다.

"어떻게 해서입니까? 그럴 만한 돈이 저한테는 없는데요 !"

"그런 소극적인 생각으로는 유럽에 절대로 갈 수 없게 돼요."

나는 힘주어 계속 말을 이었다.

"당신이 하는 말은 언제나 '그런 일은 생각도 할 수 없다.' 든지 '그런 일은 있을 리 없다.'는 것과 같은 소극적인 말뿐입니다. 그것은 마음 속에 있는 창조하는 힘에게 아무것도 하지 말라고 명령하는 것과 같습니다. 그렇기 때문에 당신이 마음에 생각하고 있는 것과는 정반대의 현상이 일어나는 것입니다."

그런 자세로는 그녀의 꿈이 사실상 어떤 결과를 가져오는 깨닫게 하는 데에 무척 힘이 들었다. 그러나 결국 그녀는 이렇게 말했다.

"그럼, 좋아요. 이제부터는 적극적인 사고방식을 갖겠어요. 그렇지만 어떻게 해서 유럽에 갈 수 있을지 저는 아직 그 절차도 종잡을 수 없습니다."

"모두 잠재의식, 즉 당신의 내부의 힘에 맡겨 두십시오. 그리고 참으로 유럽여행을 하고 있는 모습을 마음에 그리십시오. 갈 수 있는 방법이나 거기에 소요되는 돈을 만드는 방법 등은 창조하는 힘에게 맡겨 두십시오."

나의 이 말에 그녀는 고개를 갸웃하며 입을 열었다.

"어쩐지 구름을 잡는 것 같은 기분입니다. 그렇지만 어쨌든 해 보겠어요."

"당신은 신념을 가져야 합니다. 신념을 갖지 않고 여행하는 영상을 그리는 것만으론 안 됩니다. 그것만으로는 유럽여행을 한다고는 생각도 못할 일입니다."

"좋습니다. 모든 것을 거기에 집중하겠습니다. 그리고 어떤 일이 일어나는가 두고 보겠습니다."

"잠깐 기다리십시오. 당신은 아직도 의심하고 있습니다. 무엇이 일어날지 두고 볼 것이 아니라, 실제로 유럽여행이 실현되는 날을 기다려야 합니다."

"저로서는 그런 사고방식에 전혀 익숙하지 않은걸요."

이렇게 말하며 그녀는 웃었다.

그 후 8개월 정도 지난 후에 이 부인으로부터 한 통의 편지가 왔다. —더구나 유럽에서—그러나 나는 그녀의 이름을 까맣게 잊고 있었기 때문에 편지 내용을 읽기 전까지는 그 부인임을 알아차리지 못했다.

"나는 유럽에 있습니다. 당신이 가르쳐 주신 대로 했더니 확실히 효과가 있었습니다. 저는 좋은 상대를 만나 결혼하여 유럽여행을 하고 있는 것입니다……."라는 편지 내용이었다.

얼마나 멋진 일인가 ! 나는 그렇게 생각했다. 몸 안에 있는 '그것'이 그녀에게 유럽여행을 이루어 주었을 뿐 아니라 남편도 맞이하게 했다. 미래의 좋은 일을 마음에 그리고 있으면 희망한 것보다도 더 많은 것을 이루게 된다.

당신의 마음에 펌프를 걸자 !

클레아런스 사운더즈는 지금 예순일곱 살의 노인이다. 그는 지금 생애에서 세 번째 되는 만년(晩年)의 호운을 붙잡고 있다. 첫 번째는 서른다섯 살 이전의 청년시절에 있었다. '피글리 위글리'라는 상호의 슈퍼마켓이 훌륭하게 성공했던 것이다. 사운더즈는 누구나 일단 마음의 기어를 넣기만 하면 '백만 달러짜리 착상'을 붙잡기는 어렵지 않다고 말하고 있다.

"사람의 마음은 펌프 같은 것이어서 얼마든지 품어낼 수 있는 것이다. 더욱이 이 펌프가 무엇을 품어낼지 예상할 수는 없지만 창조하는 힘을 마음껏 적용시켜 두면, 때때로 무언가 멋있는 것을 보내 준다."

근래에는 식료품의 신식 체인 스토어로 그 자신이 '푸드 일렉트릭(전기식료품점)'이라고 이름 붙인 것을 시작하고 있다. 이것은 셀프 서비스 가게로 손님이 손수 사고 싶은 물건을 골라 스스로 포장하고 또 출납계 역할을 한다. 사운더즈는 그 가게의 이점을 이렇게 말했다.

"이렇게 함으로써 카운터의 혼잡을 막고 경비가 절약되며,

몇 사람만의 인원으로 대량의 상품을 다룰 수 있다. 겨우 여덟 사람의 고용인으로 연간 200만 달러의 상품을 다룰 수 있다. 같은 규모의 다른 슈퍼마켓에서는 적어도 40명에서 60명 정도의 손이 필요하다. 나는 이제까지 일생 동안 몇 백만 달러를 벌었다가는 없애고, 또 벌었다가는 없애 버렸지만 이 사업으로 다시 수백만 달러를 벌 수 있다!"

이런 사람의 야심을 누가 억압할 수 있겠는가? 당신의 마음의 실린더는 예순일곱 살인데도 움직이고 있는가? 당신이 아직 젊은 사람이라면 예순일곱 살이 될 무렵에도 계속 활동할 수 있다는 자신이 있는가? 충분한 훈련을 쌓지 않는 한, 그러한 호언장담은 할 수 있는 것이 아니다. 그러나 생각해 보면 당신의 머리 속에는 막대한 재산이 능히 잠재해 있다. 사운더즈의 다음 말을 명심하라.

> "당신의 마음에 펌프를 걸고 품어내라. 석유광맥을 캐낼지도 모른다!"

당신은 말할지도 모른다.

"일생의 꿈같은 것, 나는 그런 것이 실현될 것 같지 않아."

그런 소극적인 생각은 배격해야 한다. 한 번 당신이 내부에 있는 창조하는 힘을 작용시키기만 하면 당신의 몸 안에 잠자고 있던 자원은 상상도 할 수 없을 만큼 위대한 장래성을 갖는다.

비행기의 원조 라이트 형제는 비행기를 띄우는 모습을 처음으로 마음에 그렸을 때, 그것은 이루지 못할 '일생의 꿈'이라고 생각했을까? 앞을 내다보지 못하는 수많은 사람들은 그것을 가공의 꿈으로 보고 조소했으나 결국 두 사람의 결심을 꺾을 수는 없었다. 두 사람은 세상 사람들의 회의를 뿌리치고 용기와 신념을 가지고 꿈을 바라보며 일을 계속했다. 그리고 드디어는 세계여행에 있어 새로운 형태의 문명을 이뤄 놓았다.

그러한 원대한 미래의 영상을 갖는 사람은 드물다. 우리들 대부분은 현재보다도 한 걸음 앞밖에 통찰하지 못한다. 눈앞의 고생이나 어려운 문제에 몰두하여 그 소용돌이에서 빠져나오는 길을 마음의 눈으로 보기는 무척 어려운 일이다.

'일생의 꿈'은 미래로 탈출하는 하나의 수단이다. 즉 당신을 현재로부터 해방하고 새로운 기회와 발전을 창조해 준다.

나는 현재의 책임이나 어려운 문제로부터 몸을 살짝 피하라고 권장하고 있는 것은 아니다. 그러나 당신에게 있어 문제해결의 대부분은 미래에 있다. 생활상의 희망도 미래에 있다.

"앞을 보라. 뒤를 돌아보지 마라."

이 말은 옛 현인들의 가르침이다. 과거는 당신에게 아무런 도움도 되지 않겠으나 만일 소설 속의 인물 피터 이베트슨이 말한 것처럼 '진실을 꿈꾸는' 일을 할 수 있다면 미래는 당신에게 많은 것을 약속한다. 옛 현인들은 그것을 가르쳤다.

당신의 신념의 강도

당신이 갈구하는 꿈의 실현이 몇 년씩 걸릴 듯할 때, 당신은 그 꿈을 얼마나 지속할 수 있을까? 당신의 신념이 흔들리는 일은 없을까? 열의가 식어지지는 않을까? 너무나 지나치게 장애가 많아서 도저히 극복할 수 없다고 단념하는 일은 없을까? 마음이 약해져서 최초의 꿈보다도 더 안이한 목표로 바꾸는 일은 없을까?

한 가지 실례로써 캘리포니아 주 글렌딜에 사는 조라 아들러 부인의 경우를 들어 보자. 그녀는 무려 22년 동안 가슴에 '일생의 꿈'을 간직했다. 그 꿈은 최근에 와서야 실현되었다. 그녀의 이야기는 영상의 힘과 신념, 불굴의 정신과 협조와 협력, 그리고 내부에 있는 힘의 훌륭한 작용을 이야기하는 가장 훌륭한, 그리고 영감에 넘친 실화이다.

아들러 부인의 말을 그대로 전하기로 하자.

'나의 꿈은 대략 22년 전 글렌딜의 우리 집에서 아주 높은 저쪽 언덕을 바라보며 남편에게 "언젠가 저 언덕 위에 우리들의 집을 지읍시다."라고 내가 말한 것이 시작입니다. 그 후 9년이 지나자 우리 집과 목표 지점과의 사이에 있는 언덕의 중턱에 한 채의 집을 지었습니다. 그렇지만 저는 더 높은 곳에 마음을 두고 언젠가는 처음에 꿈꾸었던 곳에서 살고 싶다고 생각해 왔습니다. 세상에는 근심에 싸여 땅만 내려다보고 걷는 사람이 많습니다. 나는 그런 것을 서글프게 생각하고 있습니다. 때문에 나는 어린 두 딸에게 무엇이든 위를 보는 버릇을 심어 주겠다는 결심을 했습니다. 그런 이유에서 가끔 산에 올랐습니다. 산에서 눈을 번쩍 쳐들고 위를 바라보면 새로이 보이는 것이 무척 많습니다.

산행을 하던 어느 날, 멀리 산타모니카의 절벽까지 나오게 되었습니다. 그리고 거기에 집을 세우고 싶은 강한 충동을 느꼈습니다.

무아경이 되어 딸들에게 문득 "여기다 집을 짓자."고 말했습니다.

딸들은 아직 어린애들이지만 감격스러운 나머지 기뻐 어쩔 줄 몰라 했습니다.

나는 아이들을 데리고 서둘러 집으로 돌아왔습니다. 속히 남편을 데려와서 함께 다시 한 번 그 곳을 보아 두지 않고선 견디지 못할 지경이었습니다. 그것은 마음에 쏙 드는 땅이 당장이라도 팔려 버리지 않을까 하는 걱정 때문이었습니다.

내가 땅에 이렇게 관심을 갖는 것을 보고, 남편이 깜짝 놀라지는 않을까, 그리고 어떻게 만족할 줄을 모르는가 하고 질책하지는 않을까 하는 것까지는 미처 생각할 여유도 없을 정도로 열중했던 것입니다.

그런데 어땠을까요. 남편은 나를 질책했을까요? 아닙니다. 남편은 언덕 위와 그 주변의 경치를 보더니, 놀랍게도 '이 땅을 누가 가지고 있는지 조사해요.'라고 말했던 것입니다. 그것이 지금부터 13년 전의 일입니다.

다음날 아침 나는 글렌딜 시청에 가서 그 땅이 센디에이고 시에 사는 제닝스 부부의 것임을 알게 되었습니다. 저는 아무 것도 아닌 그저 조회하는 편지를 띄웠습니다. 그 땅은 팔려는 것으로 어렵지 않게 저희들 손에 들어오게 될 거라고 분명히 생각했기 때문입니다. 어찌 된 일인지 처음부터 이 땅은 우리들 것이 된다는 사실을 조금도 의심치 않았습니다.

제닝스 댁으로부터 회답이 오고 팔겠다는 내용을 보았을 때, 저는 조금도 놀라지 않았습니다. 그러나 땅값은 저희에겐 감당할 수 없는 금액이었습니다. 그 때는 집과 점포를 구입한 잔금을 계속 지불하고 있는 형편이었습니다. 게다가 나는 아이를 임신하고 있었습니다. 그래서 너무 큰 일을 벌여서는 안 된다고 생각했습니다. 그러나 일요일마다 그 '우리들의 땅'으로 산책을 나갔습니다. 그 곳에 세울 집의 설계를 땅에 그리는 것이 무엇보다도 즐거웠기 때문입니다.

이렇게 지내고 있던 어느 일요일의 일이었습니다. 그 날의 설계는 나무랄 데 없었습니다. 남편과 아이들은 박수를 치며 좋아했습니다.

"참으로 멋진 설계야. 이곳에 그 집이 들어서게 되면 그림처럼 아름다울 거야."

남편의 말에 나는 한없이 행복한 미소를 지었습니다. 이 때 나이 지긋한 부부가 언덕을 올라와 이쪽을 보고 있는 모습이 눈에 띄었습니다. 잠시 후에 그 부부는 우리들의 곁으로 다가왔습니다. 그리고 저와 이런 대화를 했습니다.

연배의 신사 — 당신은 설계를 하고 계시는군요.

아들러 부인 — 그렇습니다. 저희는 여기에 집을 세울 작정입니다.

연배의 신사 — 이 땅이 필요합니까?

아들러 부인 — 그렇습니다.……이것은 저희들의 집을 지을 땅입니다.

연배의 신사 — (웃으면서)아니 그거 재미있습니다. 우리는 제닝스 부부인데, 이 땅은 내 소유로 되어 있습니다.

아들러 부인 — (약간 흠칫하며)그렇습니까? 제닝스 씨 뵙
게 되어 반갑습니다. 그렇지만 지금 말씀드
린 것은 조금도 거둘 수 없습니다. 저희는
아직 땅을 살 형편이 못 되기 때문에 당장
땅을 사서 집을 짓지는 못합니다. 그렇지만
언젠가는 꼭 지을 것입니다. 지금부터 미리
저희가 계획하고 있는 것은 바로 이렇다는
사실을 알려 드리는 편이 좋겠다고 생각합
니다. 저의 생각이 무리라고 생각하십니까?

연배의 신사 — 하하하, 부인의 생각에는 조금도 무리가 없
습니다.

아들러 부인 — 고맙습니다. 이 땅을 절대 다른 사람에게
팔지는 마십시오. 그리고 여기에는 아직 다
른 곳도 세 곳이나 자리가 있으니까 당신
들도 저희 곁에 집을 지어 이웃이 되지 않
으시겠습니까?

제닝스 씨는 웃으며 기꺼이 이웃이 되겠다고 말했습니다.
그리고 저희보다 50피트 정도 아래의 전면에 집을 짓겠다고
대답했습니다. 그 후 11년 동안 제닝스 씨는 저희에게 편지를
세 차례나 보내 왔습니다. 그 편지마다 땅을 팔겠으니 만일
저희가 관심이 있다면 알려 주기 바란다고 했습니다. 저는 자
금 사정으로 좀더 기다리지 않으면 안 되겠기에 '우리들은 아
직 시기가 무르익지 않았다.'고 써 보냈습니다.

이런 일로 11년이 지난 후에야 저는 땅값을 치를 준비가

됐다고 제닝스 씨에게 연락했습니다. 그러자 그는 곧 글렌딜 시청에 찾아와서 서류에 사인했습니다. 이 얼마나 멋진 기분 이었겠습니까?

이 숙원 달성을 무어라 표현할까요. 저희가 시청에서 돌아 오려고 일어서자 제닝스 씨는 저의 손을 잡고 이렇게 말했습 니다.

"아들러 씨 당신은 나에게 주술(呪術)을 걸었었지요?"

"천만의 말씀입니다. 제닝스 씨. 사람에게 주술을 쓰다니, 저는 그런 일은 할 줄 모릅니다."

"그렇습니까? 그럼 말씀드립니다만 세 차례나 각각 다른 사람에게 이 땅을 팔려고 이 시청의 바로 이 의자에 앉았었 습니다. 그런데 어쩐 일인지 항상 무언가 방해를 놓아서 거래 가 틀어지고 말았습니다. 아니, 틀림없이 당신은 주술을 걸었 어요! 다른 땅은 모두 팔려 버렸는데도 가장 좋은 이 땅만 은, 결국 처음부터 당신에게 계약을 끝내어 둔 것 같았습니 다."

저는 그에게 이렇게 말해 줄 정도였습니다. 결국 저희는— 22년 동안이라면 지나치겠습니다만—적어도 13년이나 전에 하나님의 손에 완전히 맡겨 두고서 저희들의 꿈의 집은 완전 히 세워져 있었으므로 우리는 그것을 충분히 알고 있었다고 말입니다.

그렇지만 이야기는 이것으로 끝난 것은 아닙니다. 드디어 땅을 입수하게 되자 저희는 어느 건축업자와 상의했습니다. 그러자 그는 저희 설계를 보고, 당장 36,000달러의 돈이 없으 면 이 집은 지을 수 없다고 했습니다. 그것을 듣고 저는 웃음을 터뜨리고, 그렇게 큰돈을 가지고 있는 사람이 어디에 있겠느냐고 물었습니다. 그러자 그는 형편도 되지 않으면서 이런 엄청난 희망을 갖는 일이 애당초 잘못이다, 건축업자에게 먼저 이 정도의 돈밖에 없으니 거기에 알맞는 집을 지어 달라고 하는 것이 옳지 않느냐고 하는 것이었습니다. 그래서 그런 집은 저희가 바라는 집이 아니라고 말하고 나와 버렸습니다.

아시다시피 설계가 완전히 되어 있었으므로 제가 마음에 그려 온 그 집과 조금이라도 설계가 다르면 만족할 수가 없었습니다.

어쨌든 저는 마음 속으로 조금씩 맥이 빠졌습니다. 남편과 상의하자 남편은 이렇게 말했습니다.

"대체 당신의 신념은 어디 있는 거야? 그 집을 세워요! 다른 데도 건축업자는 얼마든지 있어. 그 친구들뿐이 아니야! 잠깐 나가서 브라운과 만나 봅시다. 이 친구는 이런 일에 대해서 여러 가지 의견을 가지고 있을 거야."

우리는 곧바로 브라운 씨를 찾아갔습니다. 브라운 씨는 그럴듯한 해결책을 가르쳐 주었습니다. 결국 저희들의 요구에 꼭 맞는 조립용 재료를 가지고 있는 청부업자한테 가게 되었습니다. 그 청부업자는 저희가 설계한 것과 창문 한 장, 못 하나에 이르기까지 꼭 같은 것으로 짓겠다고 약속했는데, 36,000달러 보다 몇 천 달러나 값이 쌌습니다. 하나님에겐 불가능이란 전혀 없는 것이더군요.

이렇게 해서 저희들이 꿈에 본 집을 완성하게 되었습니다. 이곳에 와서 하나님의 힘으로 된 이 집을 본 사람은 누구나 왠지 모르게 부근의 분위기가 무척 다르다고 말합니다. 딴 세상에라도 온 듯한, 이것은 다만 땅과 집만을 말하는 게 아닙니다. 목수들은 모두 싱글벙글하고 즐거운 듯이 일해 주었으며, 지금 집 안이 온통 평화와 만족과 조화가 넘치고 있는 듯한 느낌입니다.

또 저희가 이 땅을 샀을 때도 가장 좋은 시기였다고 말씀드린다면 재미있을 겁니다. 오랫동안 기다렸다는 것도 충분히 은혜를 받았다고 할 수 있습니다. 왜냐 하면 진작 샀었다면 뒤에 샀을 때와 같이 공공설비의 혜택을 받지 못하였기 때문입니다.

지금은 하수도도 제대로 갖추어져 있습니다. 게다가 저희가 땅을 산 후에 땅값이 뛰어 몇 천 달러, 실은 3천 달러나 올랐습니다.

인간에게 있어서 가장 의지가 되는 것은 하나님과 저희 몸 안에 있는 창조하는 힘이라고 생각합니다. 만일 누군가가 그런 것은 거짓이라고 웃더라도 저희 집 식구들은 절대로 그런 사람을 믿지 않습니다.'

당신은 '일생의 꿈'이라는 것을 어떻게 생각하는가? 오브라이엔 일가와 마찬가지로 아들러 일가도 '꿈의 집'을 손에 넣었다. 아들러 쪽은 몇 년인가 더 많은 세월이 걸렸다. 그들은 이미 세워진 집을 발견한 것이 아니다. 먼저 대지를 찾고 이어서 마음 속에 세우고 싶은 집을 창조하여 그 청사진을 그리고 나서 필요한 땅을 살 수 있게 되고, 돈을 마련해 가며, 언젠가 이 집을 세운다는 것을 마음에 간직해 갔던 것이다. 거기에는 흔들리지 않는 신념과 인내를 필요로 했고, 어떤 일

이 일어나더라도 결코 목표를 잃지 않았으며, 또 무슨 일이
있든 최초에 그린 영상이나 욕구를 바꾸지 않고, 그들의 바라
는 바에 집착했었다.

과연 그만한 값어치가 있었을까? 이것을 당신이 직접 판단
하길 바란다. 당신도 일생의 목표를 세워—가령 그것이 무엇
이 되었든—몸 안에 있는 창조하는 힘을 불러 당신을 위해
사용하면 언젠가는 '일생의 꿈'을 이룰 수 있다. 이 창조하는
힘을 등지지 않는 한 이 창조력도 당신에게 등을 돌리는 것
과 같은 일은 절대로 없다.

아들러 부부는 딸들에게 그들의 생각과 같이 생각하도록
길렀다. 즉 딸들을 위해 행복과 성공과 건강을 마음에 그려
공포나 불안의 사고를 제거하고, 딸들이 그림으로 보는 힘을
양친의 마음의 영상으로 추가하도록 가르쳤다. 모두가 협조하
니까 일가족 안에는 놀랄 만한 힘이 용솟음쳐 왔다. 성서에
있는 말처럼 "두 사람 또는 그 이상이 한데 모이면" 놀라운
일이 일어난다!

당신도 '일생의 꿈'을 갖고 어떤 일에 당면하더라도 당신의
꿈을 확실히 파악하여 거기에 생명의 숨을 불어 넣어라. 당신
이 지속만 한다면 이전에는 꿈이었던 것이 드디어는 훌륭한
현실로 되어 눈앞에 출현하게 될 것이다.

철, 철, 철!

로마는 하루 아침에 이루어지지 않았다.
- 프랑스의 격언 -

아마도 당신은 단단한 콘크리트를 부수거나 강철에 구멍을 뚫을 때 사용하는 드릴을 본 일이 있을 것이다. 그 드릴은 털, 털, 털! 하고 무서울 정도의 소리를 내며 물체에 마주쳐 그 조직을 부수고 우묵하게 파거나 구멍을 뚫는다.

옛날의 고문(拷問)은 사람의 이마에 물방울을 쉴 새 없이 떨어뜨림으로써 효과를 얻었다. 그러한 방법으로 고문하던 사실을 알고 있는 사람은 많다. 또 시인 키프링의 <장화(長靴)>라는 시에서도 똑, 똑, 똑! 하고 조금도 멈추지 않고 들려오는 장화 소리가 사람을 미치게 한다는 사실을 잘 나타내고 있다.

모두 끝이 없는 연속이 사람의 마음을 잠식한다. 반복이 물질에 대해 어떤 일을 하는가는 널리 알려져 있다. 그러나 사람의 마음에 어떠한 영향을 끼치는가를 깊이 알고 있는 사람은 흔치 않을 것이다.

광고의 근본 원리는 반복해서 몇 번이고 되풀이하여 사람에게 호소하는 데 있음은 당신도 잘 알고 있을 것이다. 철,

철, 철! 하고 쉬지 않는 물방울 소리처럼 그치지 않고 무엇인가를 당신에게 강요한다. 라디오나 텔레비전의 스위치를 틀어도, 신문이나 잡지의 페이지를 들춰도, 도심의 한가운데에도, 자동차가 도로를 질주해 가도, 주변의 경치와 분간키 어려울 만큼 아름다운 광고판이 이렇게 불러댄다. '보십시오! 들으십시오! 쇼핑은 부디 저의 가게로!'

이 얼마나 무서운 반복, 반복, 반복의 힘인가! 설사 당신의 기억력이 별로 좋지 않더라도 광고된 상품을 하루라도 잊고 있는 것을 허용치 않는다.

어린 시절을 돌이켜보면 글자나 곱셈을 배운 것도 결국 반복의 기술 덕분이다. 무엇이건 적어도 당신이 외운 것이라면 그것은 모두 반복에 의하여 의식에 새겨 두었다.

철학자 알쓰르 쇼펜하우어는 이렇게 말했다.

"다섯 살 이전의 어릴 적부터 가장 엄숙한 태도를 가지고 끊임없이 되풀이하여 가르치면 세상의 어떠한 불합리한 일이라도 사람의 두뇌에 단단히 심어 놓을 수 있다."

현재의식과 주관적인 마음, 즉 잠재의식과의 관계는 밀접하다. 이를 연구하는 사람은 잠재의식과 확실하게 연계하면 어떤 일이 일어나는지를 잘 알고 있다. 당신이 반복, 즉 되풀이하는 방법에 의해 현재정신에 아주 명확한 그림을 만들어 그것을 재빨리 잠재의식에 옮겨 넣으면 참으로 놀랄 만한 위력을 터득할 수 있다.

원숙한 검사나 변호인은 배심원의 감정에 호소한다. 의식적인 이성에 호소하려고는 하지 않는다. 그들은 주장하려고 생각하는 내용을 일정한 사이를 두고는 오로지 되풀이하거나

강조할 따름이다. 결국 감정이 깃들인 말씨나, 논지나, 음성의
억양 등을 여러 모로 활용하여 효과를 낸다. 그 모든 배후에
는 잠재의식을 두들기는 철, 철, 철! 이 배심원을 믿게 한다.
배심원은 같은 말을 몇 번이고 듣게 되어, 결국 그렇다, 그렇
게 되지 않으면 안 된다고 생각하게 되는 것이다.

당신은 어느 사실에 대한 지식이 옳다고 느끼면 그 생각을
언제까지고 간직할 필요가 있다. 몇 번이고, 몇 번이고 되풀
이하는 게 좋다. 당신의 남편이든, 아내든, 아니면 가까운 친
구들이 당신이 욕구하는 목적에 동감하고 협조해 준다면, 그
들도 당신과 뜻을 같이 하여 그 목적을 마음의 눈으로 보도
록 인도하라. 그렇게 하면 새로운 힘이 창조되어 당신의 힘에
더해 온다.

철, 철, 철! 의 방법을 활용하라

만일의 경우 당신의 마음의 그림이 단단히 만들어졌으면,
지금까지 내가 설명하였듯이 철, 철, 철! 의 방식의 활용을
착수하라. 그것은 그 영상을 되풀이하여 보내야 한다. 그럼으
로써 당신의 내부에 있는 창조하는 힘이 드디어는 성과를 낳
게 된다.

세상에 큰 성공을 이룩한 사람은 누구나 이상을 가지고 살
고 있다. 어떤 목표를 항상 마음에 갖고 있다. 한 번 무언가
를 마음의 그림으로 그렸던 것을 잊어버리는 법은 없다. 이랬
다저랬다 하는 변덕을 부리지 않고, 꼭 성취를 겨눈다. 그 목
표에 도달하기만을 기대하고 있다. 만일 필요하다면 그것을

위해서는 밤이건 낮이건 쉬지 않고, 기쁨과 용기로 일을 해낸다. 신념을 갖고 내부에 있는 힘의 협력을 받는다. 내부의 힘은 충동이라는 형태로 그를 바른 방향으로 밀고 가며, 그 주변에 자성을 띄워 사람의 도움이나 좋은 기회를 그의 필요에 따라 끌어들인다.

당신의 욕구가 얼마나 강대한 것인지는 다른 어느 것과 비교하면 알기 쉽다. 일생의 희망을 달성하는 데 지불하는 당신의 희생이나 노력은 대체 어떤 가치가 있을까?

어떤 일의 달성에 필요로 하는 경험이나 재능을 입수하기까지는 온갖 장애에도 굴하지 않고, 몇 번이고, 몇 번이고 되풀이하여 노력할 용기가 당신에게 있을까?

만일 용기가 있다면 결국에는 성공이 정해져 있다. 당신을 방해하는 것은 아무것도 없을 것이다. 만일의 경우 당신이 일에 집착한다면 당신의 의사와 정력과 신망, 그리고 신으로부터 부여된 창조하는 힘 앞에서는 모든 방해물은 엎드려 머리를 숙일 것이다.

그러나 출발의 시초에 당신의 곁에 아무런 플러스도 안겨줄 수 없다면 결국 앞으로 진행하더라도 아무것도 기대할 수는 없다. 그러한 일을 잘 분별해 두어야 한다. 우주는 그런 식으로 살기 편하게 구성되어 있지는 않다. 무언가 기대한다면 부단한 노력과 신념을 가지고서 먼저 어떤 기회에 편승하지 않으면 안 된다.

욕구하는 것을 몇 번이고, 몇 번이고 철, 철, 철! 하고 당신의 마음에 명료하게 그려라. 작은 물방울, 해변에 들이치는 끊임없는 파도, 돌계단을 밟는 구두 소리, 돌고 도는 인과(因

果), 원인과 결과, 운동에는 반드시 일어나는 반동. 처음에는 별로 깨닫지 못하더라도 어떤 장애를 향하여 만일 자연력, 또는 정신력이 집중케 되면 시간이 흐름에 따라 그 장애는 제거되고, 감소되어 모양이 달라지게 되는 것이다.

당신의 힘을 신념과 결부시켜라

<성경>에 말한 대로 신앙은 태산을 움직인다. 굳건한 신념은 공포와 의혹과 번민의 산을 움직인다. 당신 자신에 대한 신념, 몸 안에 있는 신의 힘에 대한 신념이다. 그 어느 한 순간을 잡아 보면 실로 간단한, 소리도 없고 보이지도 않는 것이지만 오랜 세월이 흐르는 동안에 놀랄만한 일을 한다.

그럼, 당신이 믿는 모든 선과 악의 집적이 바로 당신이다. 즉 당신이 마음에 받아들인 것, 당신의 신념에 바탕을 두고 언젠가는 사고나 행동으로 나타나는 그 원동력, 그러한 것의 집적이 당신이다. 당신의 신념이 바뀌면 당신의 인생도 바뀐다. 왜냐 하면 당신의 인생의 기초는 당신의 신념이기 때문이다.

당신은 날마다 심장은 고동치고, 살면서 얻고, 건강할 것이라고 믿고 있다. 만일 그 신념이 흔들리면 당신의 건강도 흔들린다. 당신은 주변의 모든 것에 믿음을 두고 있다. 즉 당신의 일, 친구, 당신의 재능, 당신의 자동차, 당신의 장래에 믿음을 두고 있다. 이들 모두를 당신의 인생의 일부로서 받아들이고 있다. 이들은 과거에 있어서와 마찬가지로 장래도 역시 그럴 것이라고 당신의 마음의 그림으로 보고 있다. 과거의 그

것과 대체적으로 비슷한 체험을 날마다 한 차례씩 되풀이한
다. 그러므로 행하는 모든 일에 있어서 당신은 점점 틀에 박
혀 간다. 가치 없는 일을 하고 있으면 그것은 나쁜 모양으로
고정되어 간다. 타당한 일을 하려고 노력하면 좋은 형태로 고
정되어 간다.

당신의 하루하루의 되풀이가 과연 당신의 체험과 능력에,
그리고 목적 달성이나, 일상의 만족이나, 행복에 도움이 되고
있는지의 여부를 조사해 볼 필요가 있다. 만일 도움이 되고
있지 않다면 그러한 행위나 마음의 기울임과는 결별하여 당
신을 위해 새로운 생활 사이클을 발견하는 게 좋다.

기억하라. 사람은 한 번 행한 일을 거듭 되풀이하는 것이
다. 사람은 습관의 생물이기 때문이다. 좋지 못한 사고는 손
쉽게 반복된다. 유(類)는 유를 부르기 때문이다.

과도하게 술을 마시는 사람은 술을 마시는 습관이 오래도
록 몸과 마음에 눌어붙어서 술을 끊기 어렵다. 자기가 다음에
술을 마시는 모습이 역력히 마음의 눈에 보여 그와 반대로
마시지 않는 자기의 모습을 그리기는 지극히 어렵게 된다.

당신이 지금 마음에 그리는 당신의 모습은 당신의 과거에
만 관련되고 있다. 만일의 경우 당신의 마음을 기울여 당신
자신의 새로운 영상을 만들어내려 하지 않는 한 당신은 단순
히 오늘의 일, 어제의 일을 내일도 역시 되풀이할 따름이다.

유감스럽지만 많은 사람들은 스스로 만든 수레를 타고 어
제 있었다고 생각되는 같은 곳을 오늘도 밟고 있다. 자기는
움직이고 있으므로 전진하고 있다고 지레짐작하고 있을 뿐이
다. 인생의 메리 고 라운드(mery go round)는 언제나 같은

곳을 돌고 있다. 어디로 가는지를 잘 알아 인생의 새로운 방향이나 목적에 눈뜨고, 그 회전하는 수레의 발판을 내려버리지 않는 한 그 궤도를 빠져나올 수는 없다. 메리 고 라운드에서는 도저히 바라지도 못하는 커다란 행복과 성공, 그리고 앞으로도 다시 더욱 커다란 행복과 성공으로 인도하는 대로 속히 걸어 들어가지 않으면 안 된다.

철, 철, 철! 이 물방울 소리는 당신의 의식에 전과 같은 일만을 되풀이하는 소리일까? 그렇지 않으면 당신의 잠재의식에 올바른 생각이나 행동을 고정시키기 위해 철, 철, 철! 하고 두드리는 반복의 소리일까?

그것을 아는 것은 당신뿐이다. 그것을 어떻게 다루든 당신한 사람의 일이다. 반복의 위력을 올바르게 활용할 줄 알라. 그 때야말로 무엇이든 당신의 것이 된다.

마음의 소리를 들어라

모세는 기도하였다.
"신이여, 어디로 가면 당신을 뵈올 수 있겠나이까?"
신은 대답하였다. "네가 나를 찾을 때, 이미
그대는 나를 만나고 있는 것이다."

마하트마 간디가 인도 문제를 해결하기 위해 영국으로 갔을 때 이런 말을 했다.

"나는 내부에 있는 음성이 명하는 대로 영국에 왔습니다."

이 말은 몸 안에 있는 '그것'을 가리킨 말이다. 그것을 하나의 힘이라 해도 좋겠고, 무언가 초자연적인 것, 아니면 무어라고 하든 당신이 좋아하는 이름으로 불러도 좋다.

어떤 사람은 주관적인 마음이라고도 하고, 다른 사람은 잠재의식이라 부른다. 또 일부 사람은 우주의 마음, 또는 제육감(第六感)으로서 몸 안에서 오는 하나의 충동이라고도 말한다. 신(神)의 분부로도 본다. 심령 연구가는 타계(他界)의 소리라고도 한다.

그것은 온갖 말로 표현되고 있지만 무엇이 되었든 상관없다. 우리들에게 도움이 된다. 그러므로 당신은 그것을 입수하여 활용할 줄 알기만 하면 된다.

내가 말하고자 하는 바는 밖으로부터 들려오는 소리는 아니다. 간디도 밖의 소리를 가리킨 것은 아니었다. 그것은 말할 나위도 없이 내부에 있는 무엇인가가 틀림없이 그에게 또렷하게 적극적으로 이야기한 것이다. 간디는 그 지령에 따라 영국으로 갔었다. 영국뿐 아니라 어디에라도 그 소리의 명령에 따라 움직이기로 했다.

간디는 인도(人道)를 위해 자기의 희생을 불사하는 위대한 정신적인 지도자였다. 그는 항상 목표와 주의를 그의 일신상의 필요나 욕망보다도 우위에 두고 있었다. 바로 그것이 정부나 국민의 힘을 능가하는 그의 위대함이었다. 그가 기뻐하는 것은 정의밖에는 아무것도 없었다. 따라서 누구나 그에게 술수를 쓰려는 것은 단념할 수밖에 없었다.

이 성자(聖者)의 앞에 나서면 다만 진실과 대결할 수밖에 없음을 알고 있었다. 아무리 강한 압력이 가해 오더라도 그는 이 '내부의 소리'를 들을 때까지는 꼼짝도 하지 않았다.

당신도 이 '소리'를 기르면 된다. 세계의 모든 위인들은 남녀를 불문하고, 이 소리에 귀를 기울였다. 이 내부로부터의 명령을 말로 표현하기는 극히 어렵다. 그렇지만 이것은 분명한 힘으로 작용한다. 그 힘은 느낌으로 전해지기도 하고 확신으로 굳어지기도 한다. 무언가 중대한 결정을 필요로 할 때 그들은 몸의 안팎을 정숙하게 하고 조용히 마음의 귀를 기울인다. 그러면 그 '소리'는 반드시 찾아와서 그들을 지도했다.

토머스 에디슨은 이 '내부의 소리'를 듣는 데 숙달한 사람이었다. 그는 무언가 발명에 몰두할 때마다 이미 손에 넣은 데이터를 의식 속에 쌓아올린 다음 연구실의 벤치나 긴 의자 위에 누워 그 근본이 되는 생각이 '허공으로부터 번쩍이는' 것을 기다리는 습관이 있었다.

에디슨의 조수들은 이 '노인'이 '선잠'이 한창인 중에도 부지런히 일하고 있었다. 에디슨은 눈을 뜨면 많은 해답을 안고 있었다. 그러나 때로는 해답을 얻기 위해 몇 번이고 선잠을 자는 일도 있었다. 거기에는 적당한 연구를 쌓아 준비를 하고 창조하는 힘에 충분히 자극을 주게 되므로 언제나 정해 놓고 선잠을 잘 때 해답을 얻게 되었다.

에디슨의 방법

1931년 10월 21일자 신문을 보면 에디슨이 50여 년 동안 일을 함께 한 찰즈 달리와 프렌드 어트 두 사람의 조수들과 어떻게 해서 드디어 합성 고무의 비법을 발명했는가를 보도하고 있다.

기사에는 다음과 같이 씌어져 있었다.

"월요일에 그(에디슨)는 깊은 잠에 떨어졌다('내부의 소리'가 그에게 이야기할 기회를 그는 만들었다). 달리와 어트는 계속해 오던 실험에 달라붙어 있었다. 그리고 화요일 밤 해답은 별안간 신비의 허공으로부터 번쩍였던 것이다."(이것은 에디슨 혹은 조수들이 내부의 힘을 표현하는 묘한 말투다.)

이것을 명확히 말하자면 세 사람의 마음 속에 있는 창조하는 힘이 그들이 구하는 해답을 안겨 주었다는 말이다. 이 해답은 마치 청천벽력과 같이 찾아왔다. 그것은 결코 의식적인 사고나 골똘한 생각의 소산은 아니었다. 번쩍! 하는 순간, 그것으로 완성되고 있었다. 내부의 소리가 말해 준 것이다. 의식 속에 축적되어 있던 과거의 연구 전부가 결정되어 꽃이 되고, 드디어 섬광과 같이 그들의 문제에 대한 회답, 즉 합성 고무의 제법이 나타났었다.

당신이 바라는 것을 정하고 열심히 추구할 때는 이 가냘픈 소리는 언제나 반드시 당신에게 말해 준다. 다만 당신의 결심이 서지 않고, 평정을 잃고, 흥분하고, 번민하고, 의혹이나 불안을 갖고 있을 때는 그것을 듣기가 어렵다. 당신 자신이 갖는 정전기나 그 밖의 무언가 사람들에게 부탁하시오, 라고 암시하면 결코 후퇴해서는 안 된다. 당신은 아무것도 두려워할 게 없다. 다른 사람은 당신의 희망을 듣지 않으면 당신에게 원조를 해 줄 리 없기 때문이다. 그러므로 당신은 자진해서 부탁하는 게 좋다. 아니면 만일 당신이 누군가에게 무언가 이야기해야 한다고 느끼면 망설이지 말라. 자진하여 말하러 가라.

어떤 사람이 영국으로부터 나에게 편지를 보내어 <신념의 마술>을 읽고 그에 의하여 생활이 일변하게 되었다고 말해 왔다.

그는 이렇게 말한다.

"나는 어떤 사람의 도구가 되어 나로서는 납득이 가지 않는 일이 간접적으로 시켜지고 있었습니다. 이 때문에 못마땅해서 불쾌한 나날을 보내고 있었습니다. 그렇지만, 나를 그런 식으로 부리고 있는 사람을 화내게 하고 싶지 않아서 전과 다름없이 지내고 있었습니다(짐작하시는 바와 같이 공포가 나를 후퇴시켰던 것이었습니다), 내가 정원의 제초를 하면서 나 자신의 입장에 대하여 생각해 보니 돌연 무엇인가에 얻어맞은 느낌이었습니다. 내부에 있는 소리가 나에게 이야기를 걸어 지령하고 있었습니다. 즉시 나의 두려움은 사라졌습니다. 나는 괭이를 던져 놓고 이 남자에게 찾아가서 내 생각을 알렸습니다. 그 때문에 그 때까지 나를 괴롭혀왔던 협박에 종지부를 찍을 수 있었습니다. 그 다음부터 나는 완전히 다시 태어난 느낌이었습니다."

내부에 있는 소리를 아는 법

'내부의 소리'가 진실로 당신에게 말을 할 때는 행동하라는 신호이다. 영국의 이 남자처럼 괭이를 놓으라. 혹은 당신이 무엇을 하고 있든 간에 그것을 중지하고 무엇이건 하지 않으면 안 된다고 느낀 것을 하라. 그러나 당신은 당신에게 말하고 있는 그것이 분명히 '내부의 소리'임에 틀림없고, 단순한 희망적인 사고방식이나 공상이나 공포심이 아님을 먼저 확실히 해 두어야 한다.

쟌 다르크는 프랑스의 농민의 딸이었으나, 이 '내부의 소리'가 이야기하는 것을 들었다. 그 지령에 따라 프랑스인의 의기를 불러 일으켜 영국인을 오를리앙으로부터 쫓아내고 샬이랑스 시에서 왕위를 선언할 수 있게 하였다.

예수는 '하나님의 소리가 그에게 말하는 것'을 듣고 이 마음 속의 인도에 따라 일하고, 온 인류의 영적(靈的) 생활을 고양시켰다.

에이브라함 링컨은 남북전쟁이 위급할 때, 한밤중에 '내부의 소리'를 듣고 그 말에 따라 수많은 중대 결정을 내려서 합중국을 구할 수 있었다.

마크 트웨인의 작품 중의 인물은 곧잘 그에게 이야기해 왔다. 그 사람들이 그의 마음 속에서 이야기하는 대화를 듣고 그것을 그대로 기록해 둘 뿐이었다. 마크 트웨인은 자기의 직감력에 절대적인 신뢰를 두어 제육감(第六感)을 믿고, 항상 이 '내부의 소리'에 귀를 기울였다.

당신 자신의 주관적, 또는 잠재적인 마음으로부터 여러 가지 힌트나 사고를 얻으려고 생각하면 당신의 의식하는 마음은 그것을 받아들일 수 있는 태세로 해 두지 않으면 안 된다. 물론 논증하고, 계량하고, 계산하는 것은 의식하는 마음이 하는 것임을 모두 알고 있다. 잠재의식은 그러한 어느 기능도 해내지 못한다. 그것은 다만 사고를 현재의식으로 전달하는 역할을 할 따름이다.

당신은 아마 "제육감을 활용하라."고 흔히 사람들이 말하는 것을 들은 일이 있을 것이다. 제육감이라든지, 예감이라든지, 영감이라는 것은 도대체 무엇일까? 그것은 어디로부터 오는가? 그것은……, 잠재의식의 작용이다. 심리학자는 마음을 받아들일 자세를 갖추기 위해 먼저 자기 자신을 휴식시키라고 가르친다. 당신이 전에 맛사지틀에 누워 맛사지하는 사람으로부터 휴식하도록 하라는 말을 들은 일이 있다면 내가 하는 말을 알아들을 수 있을 것이다.

몸의 힘을 빼고 느슨하게 한다. 만일 처음이라서 하기가 어려우면 먼저 팔부터 하면 된다. 양팔, 양쪽 다리, 그리고 몸 전체가 힘을 잃고 완전히 휴식하게 된다. 그렇게 하면 이윽고 마음도 저절로 그와 함께 휴식할 수 있다. 그것이 잘 되어 가면 당신의 바라는 일에 마음을 집중하라. 그렇게 하면 소위 제육감이 용솟음쳐온다. 그것을 포착하라. 조그마한 소리가 당신에게 속삭이는 것을 그대로 실행하라. 그것에 대하여 구실을 붙이거나 논쟁을 걸거나 하지 말고, 들은 대로를 바르게 실행하라.

당신이 잠재의식에게 의지하고 속삭이는 듯한 내부의 소리를 듣고 싶다고 생각될 때, 심리학자들이나 신비주의자들은 '조용히 움직이지 말고 휴식하라. 아무것도 생각지 말라.'고 당신에게 말한다. 그 뜻은 알 만할 것이다. 당신이 더욱 진보하면 동양의 성자들이 다음과 같이 말한 뜻을 이해하기 시작할 것이다.

> "평정하라, 명상하라, 위대한 침묵으로 들어가라, 명상을 계속하라. 이윽고 너의 어려운 문제는 남김없이 허무 속으로 사라져 버릴 것이다."

당신이 가는 길은 광명으로 빛나고, 당신의 무거운 짐은 하나하나 탈락해 간다. 영국의 종교 문학자 버니언이 쓴 <천로역정>*보다도 명료하게 이에 대하여 그런 것이 있을까? 내

---

* 천로역정(天路歷程) : 영국 사람 버니언(Bunyan, J.)의 우의소설(寓意小說). 내용은 신의 노여움을 두려워하는 기독교도를 주인공으로 하여, 그가 갖은 고생 끝에 천도(天都)에 이르러 마침내 번뇌를 정복하게 됨을 상징하고 있음. 번역출판 - 지성문화사 1984.

말은 버니언이 그 책에 쓴 것과 조금도 다를 바 없다. 나는 전에도 말한 대로 같은 내용을 다른 표현으로 설명할 뿐이다.

'내부의 소리'는 만일의 경우 당신이 이것에 의지하는 방법을 터득하면, 자고 있거나 깨어 있어도 당신을 이끌 수 있다.

텍사스 주 포인트 워어스 시에 사는 젊은 부인은 어느 날 밤, 무언가 중대한 재난을 예감하고 눈을 떴다. '내부의 소리'는 그녀에게 일어나서 아파트를 둘러보라고 속삭였다. 남편이나 갓난아기도 깊이 잠들어 있고 아무 데도 이상이 있는 것 같지 않았다. 그렇지만 무언가 예삿일은 아닐 것 같은 예감이 들어 어찌할 바를 몰랐다. 어떻든 원인을 확인하여 마음을 가라앉히려고 자리에서 일어났다. 그녀의 발은 아무런 까닭도 없이 목욕통 쪽으로 향했다. 아무 데도 이상은 없는 듯했지만 어쩐지 모르게 수세식 변소의 물을 홀러 내리게 해야겠다는 생각이 들었다. 물을 쏟아 내리게 하자 뜨거운 물이 쏴아 하고 쏟아져 내려오고 이어서 김이 구름처럼 솟구쳤다. 파이프가 덜그럭거리기 시작했다. 서둘러 남편을 깨우고 전화를 걸어 위험한 순간에 구조를 얻게 되었다. 지하실의 온도 조절기가 고장을 일으켰던 것이었다. 만일 그대로 발견되지 않은 채 있었더라면 몇 분 후에는 보일러가 폭발하여 아파트 전체가 파괴되어 버릴 참이었다.

내부의 소리를 따라라

만일 제육감의 예감을 느끼면 그 때마다 귀를 기울이라. '내부의 소리'에 귀를 막아서는 안 된다. 당신의 내부의 마음은 현재의식이 전혀 감지하고 있지 않은 주변의 정세나 대상물을 살핀다.

세상 사람들이 이렇게 말하는 것을 들은 일이 있을 것이다. "무언가 나에게 예감이 있어 저 사람을 경계하라든지, 이것을 해야 한다. 저것을 해서는 안 된다는 등을 느낀 일이 있었다. 그렇지만 그런 일에는 일체 관심을 두지 않아 결국 일은 끝나고 말았다. 지금에 와서야 그 때의 예감대로 했으면 좋았을 것을, 하고 후회하고 있다."

당신의 '그것'은 만일 당신만 허락한다면 갖은 방법으로 당신을 도우려고 하고 있다.

어느 미망인은 좋은 남성을 발견하여 다시 한 번 결혼하고 싶다고 생각하고 있다. 또 한편으로는 뉴욕을 떠나 캘리포니아로 가서 집을 사고 싶다는 강한 충동을 느꼈다. 우선 롱비치에 있는 친구를 찾아 팔려고 내놓은 집을 안내 받았다. 그러자 어느 홀아비가 살고 있는 집이 마음에 들었고, 이 홀아비는 그녀에게 홀딱 반했다. 그녀는 집을 사는 대신 이 남성과 결혼하여 살 집까지 동시에 입수하게 되었다. 이 두 사람은 지금 내가 아는 바로는 가장 행복한 한 쌍의 부부가 되었다. 이 경우 '내부의 소리'가 삼천 마일이나 떨어진 곳으로 그녀를 인도하여 욕구를 해결해 준 것이다.

그러나 당신은 그녀의 경우와 같이 명료한 지령이 없는 한 로맨스를 기대하여 삼천 마일이나 떨어진 먼 곳으로 여행할 필요는 없을 것이다. 당신의 로맨스는 바로 주변에서—버스정류장에서, 치과의사의 진찰실에서, 공원에서, 도서관에서, 사교의 모임에서—이르는 곳마다 당신을 기다리고 있을 것이

다. 만일 당신이 적당한 남성, 또는 여성 상대자와 만나는 것
을 영상으로 그려 열심히 그것을 파악해 가노라면 당신은 적
당한 곳으로, 적당한 때에 가고 싶은 충동에 쫓겨 거기서 당
신들 두 사람은 함께 될 수 있다.

기억하라 ! 유(類)는 항상 유를 부른다.

당신이 누군가를 찾고 있으면 같은 열의를 가지고 누군가
가 당신을 찾고 있게 된다. 당신의 잠재의식은 시간이나 공간
에도 제약되지 않는(뒷장에서 설명한다.) 것이므로 이르건
늦건 당신들 두 사람은 접촉하게 되고 두 사람의 '내부의 소
리'는 아무튼 '그이 혹은 그녀야말로 나의 귀중한 존재다.'라
고 알려 줄 것이다.

'내부의 소리' 는 귀로는 들리지 않는다

때때로 나는 "소리가 들립니다."라고 정색을 하고 말하는
사람을 만난다. 이것은 '이끄는 소리'와는 전혀 다른 것이어서
무언가 감정의 전도이거나 신경의 장애가 원인이 되어 일종
의 환상에 빠졌음을 보여 주는 것이다. 이러한 상태는 바람직
한 것이 아니므로 경계해야 한다.

이러한 '소리'는 그것을 듣는 사람 측에서는 여하튼 진실한
것으로, 무언가 망령이나, 혹은 무언가 악의를 갖는 실제 인
물에게 사로잡힌 것으로 생각하고, 또한 그렇게 확신하고 있
는 것이다. 그러한 상태에 있는 사람은 많은 공포감에 떨고
있다.

내가 예전에 시카고 시에 사는 라디오 해설자 조니 네블레

트의 사무실에 있을 때의 일이다. 한 아름다운 부인이 아무런 예고도 없이 불쑥 나타나서 그에게 이렇게 말했다.

"네, 왔습니다. 불러서 왔습니다. 무슨 일이세요."

네블레트 씨는 놀라서 그녀를 멍청히 바라보고만 있었는데, 이윽고 그는 어떤 연극이라고 생각했는지 크게 웃어댔다.

"웃을 일이 아니에요."

부인은 화를 냈다.

"당신이 나를 자꾸 부르셔서 밤에도 잠을 잘 수 없습니다. 당신의 음성이 시종 들립니다. 그러지 말아 주세요. 당신 때문에 나는 미칠 것 같습니다."

이 말을 듣고 조니는 침착을 잃고 나에게 구원을 청했다.

"이분은 심리학의 전문가입니다."라고 나를 부인에게 소개하고 이렇게 말했다.

"나는 당신을 부른 일도 없고 이야기한 일도 없습니다. 또한 당신을 만난 일도 없습니다. 모두 당신의 정신상태 때문입니다. 이분에게 설명을 들어 봅시다."

그는 능숙하게 짐을 벗어 나한테 넘겨 버렸다. 시비는 나에게로 넘어왔다. 이 젊은 부인은 한눈에 알 수 있을 정도로 감정의 평형을 잃고 있었다.

라디오에서 들은 이 해설자의 소리에 광적인 정신상태로 빠져버린 것이다. 그의 음성 속에 무언가가 그녀의 마음을 사로잡아 감정적으로 흥분시켰기 때문에 결국 그녀 스스로 자기 최면에 걸려 그녀가 고백한 대로 그의 음성이 들린다고 생각하게 되었던 것이다.

"만일 내가 이렇게 줄곧 이 사람에 대해서만 생각하고 있게 된다면 차라리 이 사람과 함께 있는 편이 낫습니다."

그녀는 이렇게 말한 후에 언성을 높여 다음 말을 이었다.

"그는 거짓말을 하고 있습니다. 그는 제가 필요합니다. 그는 정신감응으로 저를 끌어들였습니다. 전에 저를 만나지 않았다 해서 그것이 어떻다는 말입니까? 그는 너무나 정신력이 강해서 아무 때라도 저에게 힘을 미치게 하여 하고 싶은 대로 합니다."

그녀가 들었다고 생각하는 것은 감정적으로 장애를 일으킨 그녀의 의식이 멋대로 만들어 낸 것이다. 나는 그 일에 대해 설명하고, 몇 시간이 걸린 뒤에 겨우 납득시켰다. 그 동안 그녀는 해설자가 뭔가 좋지 못한 주술을 걸고 있다고 주장하고어서 그 주술을 풀어 달라고 요구하기만 했다.

그녀는 겨우 제 정신이 돌아와 이윽고 그 곳을 나갈 단계에 이르자 예상한 대로 부끄러운 소란을 피워 미안하다고 사과하고, 망상을 풀어준 나에게 감사했다. 그러나 그렇게 하여 물러간 뒤 이번에는 내 친구인 라디오 해설자가 갑자기 핼쑥해지더니 실신상태에 빠졌다.

"다시 이런 일이 있으면 난 라디오 해설을 그만 두겠다!"

이 체험을 이야기하는 것은 '내부의 소리'는 이러한 소리와는 전혀 관계가 없음을 어디까지나 분명히 해 두려 하기 때문이다. '내부의 소리'는 원래가 밖으로부터 귀로 들려오는 것과 같은 소리는 아니다. 그것은 잠재의식으로부터 전해 오는 일종의 정보다. 문득 떠오르는 사고, 지식 혹은 직감적 섬광이라고 할 수 있다. 어떤 문제 또는 정황을 부여받고 그것에 대하여 무엇을 해야 한다든지 어떻게 말해야 하는지, 어떤 방향으로 움직여야 하는지, 그 느낌을 가지고 당신을 몰아세우는 것이다.

당신의 상상력이나 희망적 사고방식이 당신을 어디론가 인도하려는 것은 제육감, 즉 '내부의 소리'와는 다른 것이다. 약간의 연습이나 노력으로 그 구별은 뚜렷하게 익힐 수 있다. 그 감각의 차이는 말로써 표현할 수는 없으나, 당신도 분별할 수 있게 된다. 그릇된 인상에 의하여 발을 움츠리는 것과 같은 일은 없다. 마음 속 깊은 곳에서 진실한 당신이 당신의 중심, 즉 창조하는 부분으로부터 이야기를 걸어올 때는 저절로 당신도 분별할 수 있을 것이다.

간디처럼 자신을 갖고 행동하고, 어떠한 인생체험에도 당연히 대처할 수 있도록 하여 '나는 내부의 소리가 이렇게 명하기 때문에 이렇게 행동한다.'고 스스로 자기에게 들려줄 수 있게 된다.

당신의 욕구의 결정

우유부단함이 습성화되어 있는 사람보다 불행한 사람은 없다.

― 윌리엄 제임스 ―

　당신은 일단 결정만 한다면 무슨 일이나 할 수 있다. 그것을 부정할 수는 없다. 그러나 우리들 대부분은 회피하고, 차일피일하고, 후퇴하고, 선회하고, 또 욕구를 추구하는 데도, 진로를 선택하는 데도 좀처럼 결정을 내리지 못하는 버릇이 있다.

　어떠한 백일몽이나 소망이라도 철석같이 믿는다면 무엇이든 성취할 수 있다. 또 우리들의 대부분은 바라는 것이 무엇인지를 스스로 잘 알고 있다고 생각하고 있으나 사실은 아무것도 모른다. 이 말은 약간 어리둥절하게 들릴지도 모르지만, 만일 우리의 욕구가 무엇인지를 진정 알고 있다고 하더라도 그것을 추구하는 데 필요한 의사력, 정력, 추진력, 투지가 있을 때 비로소 그 욕구는 모두 충족하게 된다.

세상 사람들은 대개 두 종류로 나눌 수 있다. '나는 어떤 일이 있어도 그것을 한다.'라는 의사를 가진 사람과 '나는 할 수 있을까?'라고 생각하는 사람들이다. 대다수의 사람은 이 뒤쪽에 속한다.

당신은 몇 번이나 '할까, 그만 둘까?'하고 자문했을까? 인간의 생활은 다른 무엇보다도 결단을 내릴 수 없는 것이 장애에 부딪치는 원인이 되어 가장 많은 파탄을 낳고 있다.

'그것' 즉 내부에 있는 창조하는 힘은 당신의 결단에 의하여 자력화(磁力化) 되지 않는 한 여러 가지의 것을 당신의 곁으로 끌어들일 수 없다. 자석이라는 것은 동시에 두 방향으로 물건을 끌어당길 수는 없다. 그 자력은 어느 정해진 목적물에 집중되지 않으면 안 된다. 자석을 쇳가루가 쌓인 위에 움직여 보면, 그것은 용이하게 실증된다. 만일 당신이 자석의 자성을 갖는 한쪽 끝을 쇳가루 속의 특정한 장소에 두면 쇳가루는 그 순간에 자석 쪽으로 몰리게 된다. 이 자석은 멀리함에 따라 그 거리와 방향에 비례하여 자석의 힘은 약해진다. 당신이 정신적으로나 감정적으로 당신 자신을 반대 방향으로 이끌 때는 당신이 가진 자력의 흡인력은 혼란을 일으키고 저지되며 파괴된다는 말이다.

마음과 몸의 불안정한 상태는 역시 불안정한 상태를 끌어들일 따름이다. 그 이외의 아무것도 끌어들일 수 없다.

인류의 대다수의 커다란 한탄 중의 하나는 '나는 도저히 결심을 할 수가 없다.'는 것이다. 이것은 예전에 인류의 마음에 일어났던 무엇보다도 슬픈 애가(哀歌)였다. 이 말은 모든 희망, 포부, 자신, 창의, 기능에 대한 조종(弔鐘)의 울림이다.

당신이 결단을 내릴 수 없다면 그에 따라 무력하고, 확신도 안정감도 없고, 어느 방향으로나 확실한 걸음걸이로 나아갈 수는 없다.

어떤 부인이 나에게 말했다.

"제 마음은 사람이 잠자고 나온 잠자리처럼 어지럽습니다. 그것을 정돈하기도 두렵고 어디서부터 손을 쓰면 좋을지도 모릅니다. 어찌하다 보면 더 어지럽게 해 버릴 것처럼 두렵습니다. 그대로 방치해 둘 도리밖에 없다고 생각하곤 합니다."

당신은 현재 있는 그 장소에 머무르고 싶은가? 만일 그렇다면 특별히 결의할 필요는 없다. 당신의 생각을 바꾸지 않는 한 언제까지라도 지금 있는 곳에 머무르게 된다. 그렇지 않으면 점점 몰락해 갈 수밖에 없다. 인생에 있어서는 가만히 머물러 있는 것은 하나도 없기 때문이다.

당신은 인생항로에 있어서 낙오될 수는 없다. 몇 살이 되든 당신 자신을 위해 꾸준히 앞으로 전진하지 않으면 안 된다 자연은 폐물이 된 것을 싫어한다. 콘도르*처럼 항상 투쟁을 멈춘 모든 생명체를 향하여 청소 작업을 하려고 잔뜩 대기하고 있다. 이것은 너무 처참하게 들릴까?

자연계에는 생명의 모든 단계에 있어서 모든 것을 처치하기 위해 준비되고 있다. 그것은 죽음이라 부르는 것, 당신의 몸 안에도 몇 백만이라는 작은 세포가 간단없이 사멸해 가고 있고, 새로운 세포가 그 뒤를 이어 생겨나고 있다.

---

* 콘도르(condor). 매 목(目) 콘도르 과에 속하는 대형의 맹금(猛禽). 몸 길이 1m, 날개 길이 80cm, 두 날개를 편 길이는 3m 가량임. 몸빛은 광택 있는 흑색에 날개에는 흰 줄이 있고, 머리와 목에는 털이 없으며 울지 못함. 20~30마리씩 떼를 지어 양·산양·사슴 등을 해치기도 하지만, 흔히 사체(死體)를 먹고 삶.

사고라는 것도 그와 다름없다. 당신은 체험을 쌓아 감에 따라 당신의 마음 속에서 낡은 사고를 없애고 새로운 것을 다시 만들어 내고 있다. 만일 당신이 그렇게 하지 않는다면, 낡은 시대의 뒤떨어진 사고는 당신의 마음을 가로막고 당신의 사고를 둔화시키고 두뇌를 녹슬게 하며 진보를 방해한다. 결국에는 당신을 나락에 빠뜨리게 하는 것이다.

당신이 만일 재빨리 결단을 내리지 못하게 되었다고 깨닫는다면 그것은 아마 당신이 낡은 사상, 낡은 사고의 형태, 낡은 습관이나 버릴 수 없는 욕구들과 싸우고 있기 때문이다.

진퇴 유곡의 인생의 홍해(紅海)에 기진했는가?
온 힘을 다 하여도 달아날 길 없고 물러날 길도 없다는 말인가?
그렇다면 소요를 헤치고 돌진할 수밖에 없지 않은가?

어니 존슨 프린트

만일의 경우 이것이 현재의 당신의 마음의 상태이고, 인생에 있어서의 입장이라면 그것으로 좋다. 당신 스스로 의식하고, 또는 무의식적으로 만들어 놓은 환경에 영향되어 이 이상 더 도저히 어찌할 수 없는 데까지 강요되고 있다면 '소란스러움을 헤치고 돌진할 수밖에' 없지 않은가? 오로지 현실을 직면하라. 새로이 방도를 고쳐 세우고 허든거리는 힘을 정리하여 곧은 한길을 전진할 따름이다.

결단을 내리고 직행하라 !

　인내의 한계에 도달했다. 이 때 단호하게 진취적인 결의를 하고 "좋다, 부딪쳐 가겠다. 꼭 이뤄 놓겠다."고 결심하여 진정으로 그렇게 한 사람들이 있다. 그들은 신념의 힘으로 절망 직전의 최후의 순간에도 자기를 견지하는 새로운 힘을 갖출 수가 있었다.

　최후의 순간에 이르러서도 결코 늦는 일은 없다. 내부에 있는 창조하는 힘은 올바른 방식이나 결단에 의하여 자성을 띨 수 있고, 당신은 이것에 의하여 타개할 수 있는 힘과 지혜를 획득할 수 있다.

　"신은 나의 위급을 구해 주었다."

　수많은 사람들이 감사하는 마음을 가지고 이렇듯 증언하고 있다. 모든 일을 시도하고, 더구나 그 일이 모두 실패로 돌아 갔을 때의 최후 순간에 신으로부터 받게 된 내부에 있는 '그것'에 매달렸다는 말이 된다. 그리고 처음부터 사용했으면 사용할 수 있었던 내부의 힘이 그들의 소망에 따라 주었다는 의미다.

　당신은 오로지 의식하는 마음을 가지고 성공할 수 있다는 생각을 해서는 안 된다. 자기도취에 빠진 사람은 자기 독단으로 모든 일을 이룩했다고 생각하고 싶어 한다.

　그는 자기의 어깨를 두들기며 "나를 보라, 나는 자수성가한 사람이다."고 말한다. 그러나 이런 자기도취의 사람이 사업이나 가정 일로 좌절할 때, 어떻게 그 자아가 퇴색하고 위축되어 가는가를 보면 된다. 그는 모자를 귀가 덮이도록 깊숙이 쓰고, 턱을 코트 깊숙이 묻고, 시선은 땅에 떨어뜨리고 혼자서 투덜댄다.

"내가 도대체 어쩌다 이렇게 됐는지 알 길이 없다."

그렇다. 인간은 물리적인 정력에 의존하거나 자기중심의 사고방식에 의하더라도 어느 정도까지는 도달할 수 있다. 피는 피로 씻는다. 당신이 사용했던 방법으로 누군가 당신을 노리고 있다. 그리하여 마침내 당신은 그 방법에 의해 도태된다.

그렇게 되면 당신은 설사 마음 속의 힘을 사용했을지도 모른다 해도―그것을 잘못 사용했으므로―이미 두 번 다시 일어설 수 없다. 그리고 아마 난생 처음의 경악에 직면할 것이다. 그리고 당신이 거기까지 성공하는 데 사용해 온 수단은 이미 신용할 수 없게 되며, 더불어 동료들도 믿을 수 없게 된다. 이 세상은 따분한 것이 되고, 당신은 이 세상의 가장 따분한 인간이 될 것이다. 그리고 더욱 좋지 못한 일은 당신 자신에게도 그밖에 모든 것에도 신뢰하는 마음은 산산조각이 되어 사리를 분별할 수 없게 된다.

운명을 한탄하지 말라, 자기를 알라 !

그 때 당신에게는 두 길이 있다. 향상하느냐, 몰락하느냐 둘 중 하나다. 술에 빠지든지, 극심한 신경쇠약이 되든지, 혹은 여생을 방랑생활로 보낼 것이다. 패배자들은 한숨과 변명이 많다. 후회와 '만일 다른 방법으로 살아왔다면 어땠을까?' 라고 생각하면서 쓸데없는 한탄으로 스스로를 괴롭힌다. 그런 후 '이제는 늦었다.'고 체념하고 살 수밖에 없다.

그렇지만 만일 당신이 번연(蕃衍)하게 자아로 돌아갈 수 있는 사람이라면 바른 생활 제도로 바꾸기는 결코 늦지 않음을 깨달을 것이다. 당신의 생명에 머물고 있는 훌륭한 힘, 즉 몸 안에 있는 창조력을 지금까지 알지 못하고 살아왔음을 깨달을 것이다. 그제서야 겸허한 마음이 살며시 당신의 가슴에 들어가 지금까지의 잘못 투성이였던 독선이나 자기 과신을 영구히 버릴 수 있을 것이다.

일단 당신이 구렁텅이의 밑바닥에 이르면 그 바위 위에 당신의 생활을 쌓아야 할 하나의 토대를 발견하고 싶을 것이다. 당신은 또다시 자기의 생활의 조각들을 주워 모아 이리 맞추고, 저리 맞추어 전보다도 훌륭하게 만들어 갈 것이다. 그것은 아마 전만큼이나 눈부시게 아름답고 호화로운 것은 아닐지도 모른다. 그렇지만 그것만으로도 한층 가치도 있고, 만족스러우며, 건강하고, 즐길 수 있다.

그것으로 당신은 자기에게 있어 무엇이 가장 좋은가를 스스로 결정할 수 있게 된다. 당신의 마음 저편에는 확신이 솟구친다. 당신이 참으로 필요로 하는 것은 당신의 창조하는 마음의 조정에 의하여 올바른 마음의 영상을 가지게 된다. 그뿐 아니라, 당신이 최근까지 가지고 싶다고 생각한 많은 것보다도 훨씬 가치 있는 것이 당신의 마음 속에서 꿈틀대고 있음을 깨달을 것이다.

당신은 아마 지금 서술한 부류에 해당되지 않는 사람일 것이다. 그러나 어떤 면에서는 우리들 모두가 여기에 속한다. 인간은 실수가 많은 생물이다. 감정의 욕구에 쫓겨 인생의 참다운 목적이나 장래성으로부터 멀리 떨어진 곳으론 달아나는 것도 인간이다.

"나는 해야 할 가장 좋은 일을 알고 있는데도 이런 짓을 하고 말았다."

극심한 고생을 하고 난 다음에야 슬픈 얼굴을 지으며 한탄하는 사람이 있다. 그들은 바르고 행복한, 건전한 생활을 등지고 살아왔으나 새로이 자기를 되찾아 정상적인 궤도로 돌아간 사람들이다.

당신의 인생이 지금까지 어떠했는지 나는 모른다. 그러나 어제까지의 삶이 어떤 모습을 취했더라도 오늘 바른 길로 접어들면 그것으로 족하다. 지금이야말로 절호의 기회다. 지금을 제외하고는 다시 기회가 없다. 지금 당신이 그것을 하지 않는다면 영원히 할 기회는 없다. 지금이야말로 결심할 순간이다.

"도망갈 길도 없다. 물러설 수도 없다. 오로지 부딪쳐 나아갈 뿐이다."

돌진이다! 용기를 내라! 직면해야 할 것에 직면하라! 그리고 그것을 정복하라! 미루면 미룰수록 어려움은 더해간다.

결심은 항상 자력(磁力)을 갖는다

결심을 하면 당신의 마음에 강한 자력이 생긴다. 그 자력은 당신의 생활 속의 쇠부스러기를 다시 배열하고, 부서진 조각을 고쳐 약한 곳을 보강하고, 당신에게 새로운 활력과 결단력을 부여한다. '내부의 소리'가 명하는 바에 따라 살고, 당신의 마음의 저변에 있는 참다운 당신의 지령을 받아들이라. 그 요청이 아무리 곤란하게 생각되더라도 충실하게 지키라. 당신이 전에 사람을 해친 데 대하여 용서를 구하라. 과거의 모든 원한이나 증오를 깨끗이 없애고 지금까지의 공포감이나 억압감으로부터 당신의 의식을 해방시키라. 그렇게 하면 당신의 마음은 좋은 생각의 통로가 되어 당신에게 선한 일을 끌어들이는 원인이 될 것이다.

모험 소설의 주인공 데빗드 할람의 우유부단으로부터 영구히 결별하라. '그렇다. 아니 그렇지 않다. 그럴지도 모른다. 아니 그렇지 않을 것이다.' 이래서는 아무런 도움도 되지 않는다.

'그렇다. 그렇지 않다.'나 '그럴지도 모른다. 그렇지 않을지도 모른다.'와 같은 미지근하고 비참한 생애를 누가 보내고 싶어 하겠는가?

"아무런 결심도 하지 않는 것보다는 오히려 나는 잘못된 결심을 한다. 그리고 무언가 실천에 옮긴다."

어떤 성공을 거둔 실업가가 나에게 말했다. 만일 발톱 끝으로 서는 것과 같은 그릇된 결정을 한다면 너무나 아픔을 느끼므로 그 결정이 잘못인지 어떤지는 감별을 할 수 있다는 것이다. 그리고 이 그릇된 결정으로부터 바른 것을 찾아내는 지혜도 나온다. 그러나 결정을 전혀 하지 않으면 한 걸음도 전진할 수 없다.

많은 결단을 내리기에는 용기와 확신을 요한다. 행복하고 원만한 남녀는 그 때의 판단과 직감에 바탕을 두고 조금도 주저 없이 단호히 결단을 내리는 사람이다.

영국의 시인 조셉 아디슨은 "깊이 생각하는 여인은 이롭지 못한 여인이다."고 말했다.

우유부단의 실질적인 해로움

지금 나는 두 남성을 동시에 사랑한 여인이 생각난다. 두 남성은 모두 그녀와 결혼하고 싶어 했다. 여인도 두 남성을 사랑했다. 어느 남성을 더 사랑한다거나 덜 사랑하지 않았다. 그래서 선택의 어려움이 따랐다.

1년 이상이나 그녀는 두 사람 사이에서 방황했다. 드디어 결정을 내렸지만 결혼식 당일 어머니에게 내심을 털어놓고 자기가 잘못 생각한 것은 아닌지 염려된다고 말했다. 그리고 결혼한 후에도 불안한 마음을 안고 지냈다. 언제나 또 한 사람의 남성과 결혼했던 편이 보다 행복하지 않았을까, 하고 께름직한 나날을 보냈다. 이러한 '저렇게 했더라면, 또는 그러지 않았더라면'하는 정신상태가 그녀의 감정을 착란시키고, 그것이 남편과의 성관계에 여지없이 반영됐다. 자기가 한 선택에 고민하여 남편에게 진실한 마음을 밝히기가 두려웠다. 그래서 남편과의 사이가 차츰 서먹서먹하게 되어 갔다. 그러던 어느 날 밤, 드디어 남편의 감정은 폭발했다.

"이 부정한 것아. 빌하고 결혼했어야 좋았던 거야!" 남편의 난폭한 말에 그녀도 충동을 일으켰다.

"나도 그렇게 했더라면 좋았을 것이라고 생각하고 있었어요!"

이 폭발은 문제를 표면화시켰고, 그녀는 마침내 참다운 자기를 눈앞에 보았다. 즉 지금까지 자기를 가공적인 기초 위에 쌓고 있음을 깨달았다. 자기의 우유부단한 성격 탓에 두 남성 사이에 감정을 나누고 있었던 것이다. 남편과의 사이에 조금이라도 분쟁이 일어나게 되면 자기의 마음의 고통을 아물게 하기 위해 결혼하지 않은 남성과 자기와의 사이에는 원만한 관계가 존재하는 것처럼 환상을 그리고 있었다. 그녀는 그렇게 생각되었다.

"당신을 사랑해요. 오늘에서야 그것을 알게 됐어요."

지금 남편에게 말했다.

"내 마음 속 깊이 무언가 당신이야말로 나의 오직 한 사람의 사람이라고 말해 주고 있어요. 나는 결코 잘못 판단하지 않았음을 알게 되었어요. 나는 바보고 어린애였어요, 그렇지만 오랜 습관으로부터 벗어나기 어렵군요!"

지금이야말로 과감하게 결심하라

만일의 경우 당신이 망설임의 포로가 되어 있다면 그 평생의 악습을 타파하라. 만일 그 나쁜 습관을 타파하지 않는다면 당신의 여생은 불행할 것이다. 잘못된 판단을 내리는 비율도 늘고, 그에 따라 더욱 불리한 상황을 끌어들일 것이다.

'내부의 소리'는 어느 쪽에도 관련되지 않은 마음의 상태일 때는 결코 당신에게 들려오지 않는 것이다.

나의 친척인 어느 목사는 젊었을 때 사상적인 혼란에 빠졌다. 그는 성서를 연구하고 있는 동안에 어느 구절에 의문을 가졌다. 이미 자기가 믿을 수 없는 것을 가르치기는 양심이

인간은 누구나 모순되는 감정을 가지고 있다. 그렇긴 때문에 때로는 전혀 반대되는 것을 태연하게 말할 수 있다. 그러나 어느 쪽이나 다 진실이다. 상황에 따라서 다른 감정이 지배하기 때문이다.

쉽게 허락하지 않았다. 그 때문에 그의 마음에는 나쁜 유행성 병균과 투쟁하는 것과 같은 고민이 일어났다.

"이대로 전도를 계속하는 것이 옳은가, 옳지 않은가?"

그는 천식을 앓기 시작했다. 일요일마다 설교를 하러 나가려 하면 어김없이 발작이 일어났다. 그가 말해서는 안 된다고 생각하는 것을 말하지 못하게 하는 자연계의 한 작용이었다. 그의 몸은 그의 정신의 반영이었다. 결국 건강을 이유로 그는 목사를 사직했지만 종교상의 의념(疑念)은 아내에게도 밝히지 않았다.

30년 동안을 이 높은 지성의 사람은 고민으로 일생을 보냈다. 천식의 발작은 직무태만을 범한 고민과 그의 마음이 맞설 때, 더욱더 가열되었다.

"내 행동은 옳은 것이었을까? 그릇된 것이었을까?"

그의 죽음이 가까워졌을 무렵 나는 그와 이야기를 나누었다. 그는 무언가 고백하고 싶다고 호소했었다. 오랜 세월을 그가 몹시 괴로워해 왔던 이유를 나에게 말했다. 그런 후 자기의 생각은 죄인가 아닌가에 대해 나의 의견을 구했다. 나의 대답은 이 우주의 신의 힘은 무한하게 커서 사람의 죄를 이해할 수 있으므로 벌하거나 하지는 않았다는 것……, 인간은 누구나 과오를 범한다는 것……, 또 인간은 과오를 통해서만 성장한다고 그를 안심시켰다. 그러자 그는 나에게 이렇게 말했다.

"아아, 다시 한 번 인생을 살 수 있다면, 글을 쓰고 싶습니다. 내가 믿은 바를 정직하고 솔직하게 글로써 발표하고 싶습니다. 왜냐 하면 이제까지는 늦었지만 수많은 사람들이 나와 같은 생각을 가지고 있다는 사실을 깨달았기 때문입니다.”

수많은 사람들은 두 행로를 앞에 놓고 있다. 어느 쪽이 옳은가를 결정할 수 없어 두 길을 모두 걸어가려 하다가 반드시 불행으로 끝나고 있다.

동시에 두 방향으로 걷는 사람은 멀리 가지를 못한다. 당신은 그 무엇인가 하나를 선택하지 않으면 안 된다. 만일 ‘내부의 소리’를 듣는다면 틀림없이 올바른 선택을 할 수 있을 것이다. 그렇지만 감정이나 한쪽으로 치우친 욕구의 소리에 귀를 기울이고 싶은 유혹이 함정처럼 도사리고 있다. 그것이 우리를 가끔 미로(迷路)에 빠져들게 하는 것이다.

우리들 대부분이 언제나 갈피를 잡지 못하는 마음을 셰익스피어는 햄릿으로 하여금 말하게 하고 있다.

살아갈 것이냐, 죽을 것이냐, 그것이 문제로다.

마음에 괴로워하는 편이 보다 훌륭할까.

거칠게 날뛰는 운명이 던지는 돌이나, 운명이 쏘는 화살에 마주 설까.

아니면 고난의 바다에 무기를 들고 맞서 싸워서 고뇌를 극복할까……

결단은 용기로부터 생기고, 용기는 자기의 몸 안에 있는 신의 힘을 믿는 데서 생긴다. 지금 당신을 둘러싸고 있는 어려운 문제나 곤경이 왜 앞으로도 계속할 것으로 마음에 그리는가? 왜 그와 같은 영상을 말끔히 바꿈으로써 미래를 더욱 나은 것으로 바꾸는 힘을 내부에 있는 ‘그것’에 부여하지 않는가 !

제3부

믿음의 놀라운 법칙

기록해 두어라
믿으면 그렇게 된다
반드시 이룩한다
밝은 사고방식의 위력

기록해 두어라

성공은 그대 자신 속에 있다. 성공을 달성하기에
방해가 되는 조건 또한 그대 자신 속에 있다. 그대의 지금
환경은 그대의 성공을 실현하기에 가장 좋은 조건이다.

당신이 눈으로 보고, 귀로 듣는 것은 그것이 거듭 되풀이됨
에 따라 기억에 남게 되고, 드디어는 당신 인생의 일부가 된
다.

과학자나 광고업자는 그것을 익히 이해하고 있다. 그렇기
때문에 갖가지 방법을 동원하여 여러 계층의 대중의 마음 속
에 인상지으려 한다.

어떤 사람은 보는 것에 따라, 또 어떤 사람은 들음으로써
보다 강한 인상을 받는다. 이렇게 차이가 생기는 원인은 어릴
적부터 어느 쪽의 감각이 보다 잘 발달했느냐에서이다.

기차나 자동차로 누군가와 여행할 때, 당신은 무엇엔가 시
선이 끌려도 상대방은 보고 있지 않는 수가 있다. 그와 그녀
는 당신만큼 사물의 관찰에 익숙하지 않았다는 증거이다. 그

렇지만 반대로 당신을 향하여 "저 소리를 들었습니까?"라고 묻는 일이 있을 것이다. 그런데 당신은 전혀 그 소리를 듣지 못한 경우도 있다.

청각과 시각에는 이러한 민감도의 차이가 있다.

"나는 어릴 때 사람들에게서 이러쿵저러쿵 비평받는 것이 싫었습니다. 그로 인하여 지금까지도 듣는 것이 다른 사람들보다도 서툽니다."라고 나에게 말한 사람이 있었다.

어떤 부인은 이렇게 말하기도 한다.

"제가 어렸을 때, 보아서는 안 될 것을 보았습니다. 쇼크 때문에 지금도 무언가를 보기가 어쩐지 두렵고 필요한 것 외에는 되도록 보지 않기로 하고 있습니다. 제가 의식적으로 한 일은 없습니다. 보아서는 안 된다고 무언가 마음 속에서 생각하기 때문입니다."

싫어해서 피하는 것은 인류가 스스로 걸머지는 질병의 하나다. 모든 사람들은 갖가지 모양으로 많거나 적거나 이 질병의 위협을 받고 있다. 이 질병에 조금도 위협 당함이 없이 자라난 어린이는 거의 없다.

그러나 어른이 되면 그러한 이유 없는 감정의 구속으로부터 눈을 뜨게 되고, 지성을 작용시켜 그러한 것을 제거함으로써 비로소 그 파괴적인 영향을 모면할 수 있다.

인간은 희망하는 바를 머릿속에 그릴 수 있는 생물이다. 누구라도 원하는 것을 마음에 그린다. 그리고 그 영상을 당신의 눈앞에 오래도록 유지하면 할수록 몸 안의 힘은 단단히 인상 지어지고 그 영상의 현실화에 도움이 된다.

이런 까닭으로 당신의 소망을 그림으로 하는 하나의 보조로써 조그마한 카드에 문자에 의한 묘사를 기록하여 당신의 마음의 상층부에 보존할 것을 권하고 싶다.

그 카드는 될 수 있는 대로 자주 눈에 띄는 장소에 놓아 둔다.

예를 들면, 날마다 수염을 깎거나 머리를 빗을 때 비추는 거울 위에 카드를 붙여 놓으면 된다. 당신의 소망을 처음에는 버젓하게 적어 그 영상이 계속 마음에 간직되고 발달해 감에 따라 세부적인 점까지 기록해 가도록 한다.

또 하나의 다른 카드를 당신이 점심—또는 저녁—식사를 할 때 볼 수 있을 만한 편리한 곳에 놓아 두어도 좋다. 또 자기 전에 다시 한 번 볼 수 있도록 연구해 봄도 좋다. 그것을 계속하라. 칠, 칠, 칠! 여하튼 당신의 소망의 세부적인 데까지 오래도록 마음에 사진으로써 남기고 싶다고 생각될 정도로—즉 소망이 현실화할 때까지 마음에 머물게 하고 싶다고 생각될 정도로—기록해 두는 게 중요하다.

같은 생각, 같은 암시의 되풀이가 그 영상을 실현하는 것임을 기억해 두지 않으면 안 된다.

> 나무를 심을 줄 아는 사람은 나무를 뽑히는 일이 없다. 물건을 가질 줄 아는 사람은 물건을 빼앗기는 일이 없다. -노자-

영상을 마음에 새겨 두어라

그것을 기록하라 !

당신에게 욕구가 있다는 사실은 이미 기초가 되어 있다는 뜻이다. 그 그림을 마음에 새겨 두라. 당신이 바라는 것이 하나이든, 또는 몇 개이든 좋다. 자상하고 완전한 영상을. 상호 간에 모순되지 않는 한, 그리고 각각 따로 그려낼 수 있는 한, 영상을 하나로 한정할 필요는 없다. 마음 속의 창조하는 힘은 당신이 바라고 마음을 쏟아 노력하는 몇 가지 목적에 대해서 작용할 수 있다.

그것을 기록하라 !

만일 그것이 매상을 증가시키는 것이라면, 그 정확한 금액을 분명히 정하라, 또 만일 그 소망이 누군가에게 이렇게 해주기를 바라는 것, 즉 여성이나 남성에 대한 구애라든지, 양복을 새로 맞추고 싶다든지, 새 자동차를 갖고 싶다는 것이라면, 그것을 기록해 두라. 이것저것 아무것이나 기록하라.

당신의 바라는 것을 말로써 표현하라. 그렇게 하면 당신의 마음을 그것에 알맞도록 맞출 수 있다. 이 방법에 따르면 반드시 그것들을 입수하게 된다. 당신의 소망이 도덕적으로 어긋남이 없고, 그리고 그 영상이 명확하고 적극성을 갖는 것이라면 무엇을 구하든 손에 넣을 수 있다.

철, 철, 철 ! 몇 번이고 적으라. 만일의 경우 당신이 이렇게 함으로써 목표를 명확히 마음에 새겨 둘 수 있다고 생각하면 몇 번이고 되풀이하여 기록하라.

당신이 세일즈맨이 되었건, 지배인이건, 직공이 되었건, 작가이건, 주부이건, 혹은 당신이 구하는 것이 돈이든, 사랑이든, 사회적 지위든 조금도 상관할 바 아니다. 당신은 당신이 바라는 것을 당신에게로 가져다 주는 내부의 힘을 가지고 있다. 당신이 어떤 것을 바라더라도 그것은 입수된다.

기회란 당신의 눈앞을 영구불변한 생명의 대하(大河)가 되어 흐르고 있다. 당신은 손을 뻗쳐 그것을 붙잡기만 하면 된다. 기회를 잡는 방법은 다름이 아니다. 당신이 자기의 소망을 자주 말하고, 글자로 기록하고, 그림으로 그려 표현하면, 당신의 내부에 있는 창조하는 힘에 활력을 주고 목표를 겨누는 당신의 사고에 자력을 부여하는 것이 방법이다.

어떤 사람들은 '나의 마음의 소망'이라고 쓴 커다란 봉투를 갖고 있다. 그 속에는 이렇게 하고 싶다고 생각하는 것, 경제적, 가정적, 생리적, 심리적, 종교적으로 생활을 바꾸고 싶다는 생각들을 기록해서 넣어 두고 있다.

하루 종일, 혹은 밤에 몇 번이고 자기 시간을 만들어 각각 정성을 담은 소망을 여러 가지 표현으로 쓰고, 그것을 되풀이 읽어보고는 생각에 잠긴다.

그들은 그 하나하나를 점검하여 각각 그 목표를 향하여 한 발자국이라도 다가갔는지 어떤지에 대한 걸음걸이를 기록해 둔다. 일정한 목표에 도달하면 그 목표에 '완료'라 쓴다. 그런 후 꿈을 실현하는 데 힘을 빌려 준 목표를 겨누어 끊임없는 기쁨을 전개하며 옮아 간다. 이것은 마음을 흐뭇하게 하는 즐거운 작업이다.

만일 당신이 지금 시작하려고 한다면 이미 의식 속에 깃들이고 있는 그릇된 생각이나 감정 반응을 씻어 버리지 않으면 안 된다. 이를 위해서는 먼저 다른 사람에 대하여 이래야 한다고 생각하는 태도에 대하여 기록해 둔다. 돈이나 일, 기타 당신의 일생에 귀중한 일에 대한 올바른 만음의 준비도 기록해 두는 게 좋다!

실업가 마조리 메이즈는 샌프란시스코에서 멋있게 성공한 부인이다. 마음으로부터 흠모하는 친구가 많고, 또한 교제가 넓은 그녀의 성공도 모두 소망과 정성을 기울여 기록해 두었기 때문이라고 말한다. 그녀는 돈벌이에 대하여 깊이 생각하고 '장사라는 것은'이라고 이름 한 생활신조를 써서, 날마다 되풀이하여 읽고 지침으로 했다. 그리고 '내부의 소리'에도 귀를 기울였다.

그 훌륭하고 귀중한 신조를 이 책의 독자에게 공개할 것을 나를 위해 특별히 허락해 주었다..

장사라는 것은

올바른 기도는 반드시 이루어진다고 보고 항상 기도하라.

세상에 있는 것은 모두 영원히 신의 것이다.

나의 모든 것은 신의 것, 나는 신의 일부다.

그러므로 나의 생활에 나타나는 것은 신의 조화다.

나는 신의 분신이며, 진리와 직접 결부되고 있다.

나의 직감은 완전하며, 영적 지각도 완전하다.

신이야말로 나의 지혜, 나의 지성이다.

나는 그것을 잘 알고 있다. 그러므로 항상 올바른 방향으로 향하고 있다.

신은 단 한 사람의 행위자이므로 신은 나를 통하여 일하고, 나는 항상 바르게 행동하여 거래에 있어서 사람들에게 폐를

끼칠 염려는 전혀 없다.

신의 일은 나의 일이므로 시간의 낭비가 없고, 따라서 나의 일은 순조로이 이기적인 면으로 치우치는 일이 없이 행하게 된다.

나의 생각은 명확하고 신선하며 나의 일에는 훌륭한 성과를 기대할 수 있다.

내가 끊임없이 기원하는 사상은 신의 것으로 방향과 시기를 어기지 않고 온 우주를 나는 매처럼 늠름하고 게다가 비둘기처럼 온순하고 겸양해서 사람을 해치지 않는다.

기도는 신과 나의 이름에 있어서 모든 상담에 나타난다.

그러므로 하루가 할 일 없이 끝나는 날은 없다.

나의 기도는 강하며 내가 옳다고 생각하는 것을 무엇이든 달성해 준다.

인생에 있어서의 모든 관계는 내가 일상생활에 기도하는 가운데 신을 보는 힘에 좌우된다.

나는 사람들이나 환경에 의지하지 않고, 우주의 본질과 영(靈)에 의지한다. 그러므로 나는 영원 그 자체의 지령을 기다린다.

나는 신과 직통하는 나의 직감에 귀를 기울인다.

나의 눈은 신이 보내주시는 것을 고맙게 바라본다.

돈도 신이 주시는 것으로 생각한다.

신의 지혜에 의하여 돈을 쓰므로 돈은 기꺼이 내 주머니에 들어온다.

나는 올바른 거래를 통하여 돈을 받아들인다.

나는 책략을 쓰지 않는다.

돈을 신에게 바라지도 않는다.

믿는 일은 모두 달성된다고 믿고 나의 직감의 소리에 따라 상담한다.

마조리 메이즈

이것은 인생에 대한, 즉 사람과 장사와 돈에 대한 한 사람의 정신적 및 영적 태도로 참으로 괄목할 만한 선언이다. 동시에 이제부터 이것은 당신 자신의 선언이기도 하다.

이 선언을 본보기로 만들어서 읽고, 또 읽어 그것을 당신의 의식 속에 넣어 두라. 당신의 일부로 만들라. 그것을 기록하고 이야기하라. 당신의 입으로 자기가 말하는 그 말에 스스로 귀를 기울이라. 당신의 적당하고 올바른 행동을 통하여 그것을 믿고 또 그에 따라 생활하라. 그렇게 하면 마조리 메이즈가 말하는 것처럼 당신의 '믿는 대로 일이 성취되는' 것이다.

당신이 본 일이 있는 그림이나 사진, 그리고 풍경 묘사─사람들이 무언가 하고 있는 묘사─를 생각해 보라. 이 그림이나 사진 중 당신의 기억에 남아 있는 것은 어느 정도나 될까? 얼마만한 것이 당신의 기억에 두드러지게 남아 있을까?

그리고 그것은 왜일까. 그 이유는, 당신이 기억하고 있는 것은 그 속에 무엇인가가, 특히 당신 개인의 흥미를 끌고, 그 흥미를 지속하고 있기 때문이다. 이와 같은 그림이나 당신의 상상 속에서 당신 자신이 만든 수많은 그림은 지금 그대로 당신의 의식 속에 있으며 당신에게 인상을 주고 있다. 그 의식 속에서는 당신이 듣거나 보고, 혹은 체험한 것은 모두 그림의 형태로 존속되고 있다.

이들의 그림과 연관되는 감정도 또 당신에게 영향을 주고

이들의 그림과 연관되는 감정도 또 당신에게 영향을 주고 있다. 사실 당신에게 무엇보다도 영향을 주는 것은 과거에 있어서 당신의 주변에 일어난 사건에 대한 감정반응이다. 당신이 욕구하는 것에 얼마나 강한 감정을 가지는가에 따라 그 힘의 강약이 결정된다.

만일의 경우에 당신이 자기에게 무언가 두려운 일이 일어날 거라고 생각하고 있으면, 당신은 이 내부의 창조력에 의하여 두려운 일을 실제로 끌어들이게 된다.

용기와 신념과 자기 신뢰에 대한 신서를 써서 당신의 일상생활에서 불안이나 공포를 추방해 버리라. 앞날에는 좋은 일이 있을 것으로 알고, 그것을 믿으라. 당신의 의식 속에서 모든 불안이나 번민을 추방해야 한다. 만일 전과 다름없이 불안이나 번민을 머무르게 하면 그것은 당신에게 불행한 환경을 끌어들일 따름이라는 사실을 명확히 인식해야 한다.

당신의 현재의식은 바구니와 체의 역할을 동시에 해낸다. 먼저 외계에서 일어난 것을 무엇인가 바구니처럼 담아서 그것들을 모두 마음의 영상이라는 형태로 만들어 잠재의식으로 보낸다. 그것이 일반적인 자동적 조작이다. 그런데 외계에서 오는 그림은 일단 그 곳에서 받아 그것을 고쳐 만들거나 또는 나쁜 그림이라고 깨달으면 그 통과를 거부하고 좋은 것만을 잠재의식에게 보낼 수도 있다. 그것이 체의 역할이다. 그렇게 하지 않으면 좋은 것이나, 좋지 못한 것도 모두 그대로 통과하게 된다.

이어서 다시 이러한 일을 생각하면 당신은 또 하나의 강한 충격을 받게 될 것이다. 즉 어떤 사람의 건전한 현재의식도

만일 무언가 컨트롤되지 않고 그대로 방치한다면 쓰레기와 다름없어진다는 사실이다.

당신이 지켜 서서 어떤 것을 통과시키느냐를 결정하지 않는 한 잠재의식은 좋지 못한 생각과 선한 생각을 체로 쳐서 선별할 수는 없다. 무엇이든 차별 없이 그대로 내부에 있는 의식 속으로 들어가게 된다. 일단 들어간 것은 결국 그대로의 모습으로 다시 나오든지, 아니면 속에 머물러 똑같은 것을 더욱 끌어들인다. 왜냐 하면 유(類)는 유를 부르기 때문이다.

당신은 '의식의 흐름'이라는 말을 들은 일이 있을 것이다. 이 말은 꽤 정확한 묘사이다. 사고는 끊임없이 당신의 마음에 흘러들어가고 또 흘러나오고 있다.

영상의 질을 골라라 !

당신의 의식의 흐름을 지금보다 더욱 더럽히는 일을 하지 마라. 거기에 체의 장치를 설치하라. 모든 불안이나 번민, 온갖 그릇된 감정반응 등이 다시 깊은 내부의식으로 흘러 커다란 해악을 끼치지 않는 동안에 그러한 그릇된 감정을 막지 않으면 안 된다. 이미 당신의 잠재의식의 흐름에 떠 있는 그릇된 생각이나 나쁜 감정을 걸러 내어 버리는 일을 착수해야 한다. 퍼내고 닦아 내라. 이 흐름을 맑게 하여 당신이 현재 생활영역으로 보내고 있는 맑고 선한 사고를 그 위에 비출 수 있을 정도로 가라앉히지 않으면 안 된다.

당신이 이렇게 하고 싶다고 생각하는 모습을 기록하라. 그렇게 되고 싶지 않다고 생각하는 모습도 지워 버리기 위해 기록하라.

당신의 소망을 기록해 두는 일과 거울을 사용하는 것을 꾸준히 되풀이해 가면, 그것도 놀랄 만한 효과를 낳는다. 이윽고 카드나 거울을 사용하지 않아도 자유자재로 영상을 그릴 수 있게 되고, 어느 새 완전히 자동적으로 잠재의식을 작용시키고 있는 자기를 발견하게 될 것이다. 더욱이 이렇게 되더라도 여전히 카드에 기록하는 방법이나 카드를 읽고 다시 되풀이 읽는 방법을 계속하고 싶을 것이다.

연습에 또 연습. 꾸준히 철, 철, 철! 하고 잠재의식을 일깨워라!

지나칠까 두려워할 필요는 없다. 또 희망이나 욕구가 너무나 많은 것을 염려할 필요도 없다. 전에도 말한 바대로 무엇을 바라더라도 모두 입수하게 되지만 내가 보여준 방법을 확실히 기억하기 위해 연습을 많이 할수록 좋다.

당신이 마음에 영상을 보고 있노라면 반드시 거기에 행동이 따르게 된다. 결국 행동은 활력을 수반한 사고로밖에 되지 않기 때문이다.

이 책에 쓴 모든 진리는 인간의 역사와 함께 오래 된 것임을 기억하라. 나는 단순히 이 진리를 오늘날의 말로 당신에게 전하고, 누구나 활용할 수 있도록 간단한 하나의 시스템으로 만들어 설명한 것뿐이다.

당신도 알고 있듯이 '식후의 과자는 먹어 보고 맛을 알라.'이다. 만일 나의 설명하는 기술에 무언가 잘못이 있다는 의혹이 있으면, 먼저 시험해 보라. 자동차는 당장 모습을 드러내고, 새 구두도 손에 넣을 수 일고, 또 집이 아쉽다면 마치 마법이라도 작용한 듯 벽돌은 하나씩 그 적당한 장소에 쌓여 간다.

행복과 성공과 건강을 손에 넣은 수많은 사람들이 그 증거로써 곳곳에 있다. 그들은 모두 '그것'—신으로부터 받은 창조하는 힘—의 위력을 이미 실증했고, 현재도 계속 실증하고 있다.

당신이 바라는 것을 적은 기록을 보존하여 그것에 표지를 하라. 당신은 그 품명 속에서 달성한 것을 하나하나 지워 가기에 바쁠 것이다.

백일몽을 보는 짓은 그만 두는 것이 좋다. 당신의 의념(疑念)을 제거하라. 당신의 욕구를 서둘러 기록하라. 효과가 바로 눈앞에 보인다.

믿으면 그렇게 된다

빛이 그대와 함께 있는 한, 빛을 믿으라.
그대는 빛의 아들이 되리라. <성경>

여기에 내가 진심으로 믿고 있는 속담이 있다.

> **만일 당신이 그것을 믿는다면, 그것은 믿는 대로 된다.**

이것은 내가 지금까지 몇 차례고 당신에 말해온 것을 단순
히 알기 쉽게 설명한 말에 불과하다. 종교의 위대한 스승 석
가, 공자, 마호메트, 그리스도, 그 밖의 수많은 철학자들도 이
위대한 근본 사상을 가르쳤다.

이 사상은 모든 종교, 교의(敎義), 신조, 종파(宗派)에서 찾
아볼 수 있다. 어디에나 같은 취지가 내포되어 있고, 그 근본
정신은 내가 말하는 '당신이 그렇게 믿는다면 바로 그대로 된
다!'와 같은 것이다.

성서에서 인용해 보자.

"사람이 그 마음에 생각하므로 생각한 것과 같이 된다."

당신은 이 인용 구절을 이미 몇 번이고 들었을 것이다. 그러나 나는 강조하기 위해 그것을 되풀이한다.

'사람이 그 마음에 생각하므로 생각한 것과 같이 된다.'

당신이 그것을 믿으면 그것은 믿는 그대로 된다. 모두 같은 뜻이다. 전체의 뜻을 한 마디로 표현한다면 '신념'이다.

많은 사람들이 기적의 시대는 지났다고 말하는 것을 나는 들었다. 그렇지만 나는 전에 사상가나 신앙가 들이 그렇게 공언하는 것을 들은 일이 없다. 틀림없이 아라비안나이트의 알라딘과 그 마법의 램프는 어디까지나 옛이야기이지, 이 세상에 있었던 것은 아닐 것이다. 마법의 지팡이나 도깨비 방망이 등의 옛날이야기에 나오는 것은 모두 이야기로 들으면 재미있으나 실은 근거 없는 것이다.

내가 여기서 기적라고 말하는 것은 신념에 의하여 달성되는 여러 가지 일을 말하는 것이다. 즉 당신의 신앙에 대한 신념, 당신 자신에 대한 신념, 당신이 사귀는 친구에 대한 신뢰, 힘에 대한 신념, 각자의 운명을 지배하는 저 '그것'에 대한 신념⋯⋯.

당신이 그 신념을 가지고 소극적인 면을 버리면 이 세상의 어느 것도 당신의 욕구 달성을 방해할 수는 없다. 이것은 좀 이상하게 들릴지도 모르겠으나 실은 진실이다. 당신이 진실로 바라기만 한다면 무엇이든지 입수할 수 있다. 신념은 달성을 위한 원동력이다. 당신의 성공의 달성을 위해 그것이 없어서는 안 된다.

복음 설교가들, 즉 에이미가 갖고 있던 것은 뭣인가? 집시 스미드는? 빌리산 디는? 빌리 글레함이나 몬시니얼 신이나 <적극적 사고방식의 힘>의 저자 N. V. 필 목사가 갖고 있는 것은 무엇일까? 그것은 신념이다. 그들은 자기 이외의 사람들에게도 신념을 심어 주는 능력을 가진 강한 신념의 소유자다. 신앙은 모든 위대한 종교의 기조일 따름이다.

모든 커다란 일들도 처음에는 겨우 한 사람, 신념을 가진 한 사람에 의하여 시작된다. 그 사람이 처음에 그것을 어디서 착안하게 되었는가는 문제가 되지 않는다. 모든 위대한 발명은 신념에 바탕을 둔 하나의 체계의 성과이다.

당신이 종교에, 상업적 생산품에, 공익사업에 신념을 갖는 것은 누군가가 처음으로 그 신념을 당신에게 심어 주었기 때문이다. 당신이 어느 사람을 권위자로 생각하는 것은 그 사람을 믿기 때문이다. 누군가의 이야기를 의문도 없이 신용한다. 세상 사람들이 제공하는 것을 받아들이거나 사거나 한다. 그 신뢰가 신념이다.

때로는 교활한 사람이 당신을 그르치게 하는 수도 있다. 그 때문에 그릇된 것을 믿는다.

그것을 알아차리면 당신은 괴로워하고 환멸을 느낀다. 그리고 '다시는 아무도 믿지 않겠다.'고 말한다.

그러나 언젠가는 역시 사람을 믿는다. 믿는다는 것은 인간의 본질이기 때문이다. 당신은 본능적으로 남이나 자기를 믿고 싶어 하기 때문이다. 만일 우리가 아무도 믿을 수 없다면 세상은 얼마나 비참하겠는가?

'굵직한 음성'의 유명한 사회자 마아피는 글루쵸 마르크스의 '일생을 걸고'라는 라디오 쇼에서 이런 말을 했다.

"인간이 할 수 있는 '가장 좋은 벌이'는 사람들을 친절하게 웃는 얼굴로 맞고, 그 사람을 신용하는 것이다. 그러면 반드시 커다란 보수가 되어 되돌아온다."

이것은 백 퍼센트 옳은 말이다. 사람에게 순진한 신뢰를 보내면 완전히 보상되어 온다. 때로는 신뢰할 수 없는 것을 신뢰하는 일이 있을지 모르지만, 그런 일은 드물다. 대부분의 사람들은 당신의 신뢰에 보답하기 위해 특별한 노력을 한다. 다른 사람에게는 거짓말을 하거나 속일지 모르지만, 당신의 신뢰에는 마음으로부터 감사하고 당신을 배신하는 일이 없다.

나한테 이렇게 말한 사람들이 있다. "어째서 저런 술주정꾼과 쓸데없이 시간을 보냅니까? 신용할 게 못 됩니다. 틈만 있으면 옳다, 됐다 하고 당신의 눈을 속이고, 당신을 악용할 겁니다."

그렇지만 나는 지금까지 많은 사람들을 신뢰해 왔는데, 사람들이 나에게 의도적으로 실수한 일은 없다. 신용한 사람 중에는 의지가 약하고 기대한 대로 되어 가지 않은 사람도 없지는 않았다. 그렇지만 그들이라 해서 일부러 나를 '배신'하려고는 하지 않았다. 그런 사람은 나의 신뢰에 따르지 못했던 것을 후회했다. 그리고 그 대부분은 필사적으로 어떻게든 해서 다시 신뢰를 회복하려고 안간힘을 다했다. 그들을 내가 지금도 신뢰하고 있는 것도……, 그들을 결코 책망하지 않는 것도……, 내 힘이 미치는 한, 언제 어디서나 기꺼이 그들을 도우려 하는 것도……, 모두 알고 있다.

그렇지만 다시 일어서는 것은 본질적으로는 그들 자신의

힘이다. 사람이란 스스로의 힘으로 일어서지 않으면 안 된다. 그것을 그들도 잘 알고 있다.

내부에 있는 힘은 당신이 신념을 갖지 않으면 작용하지 않는다.

당신의 신념을 작용시켜라 !

경험은 가장 위대하다. 동시에 가장 엄격한 스승이다. 경험을 통하여 일이 잘못된 것을 알 수 있고, 그것이 결국 자기를 뼈아프게 일깨운다. 그리고 그것을 깨닫게 되면, 해 놓은 일을 시정하고, 올바른 사고방식을 알기 위해서는 자기 이외의 위대한 힘의 필요성을 인정하게 된다. 또한 이것으로 자기를 바르게 하는 작업을 착수한다.

여기에서 당신은 내부에 있는 '그것'을 발견하여 "나는 믿는다ㅣ"고 하게 된다. 그렇게 되면 당신의 몸 안에 자력을 갖는 에너지가 흐르기 시작하고 당신이 믿고 있는 것을 끌어들이는 일을 하기 시작한다.

이상은 소생(蘇生)이라는 것의 하나의 작은 본보기다. 이것은 정통적 의미에 있어서 종교적이라고는 할 수 없겠으나 적어도 심령적, 형이상학적인 것이다. 그것은 모든 시대의 영적 교조(敎祖)들이 설교한 것을 내가 일상용어로 바꾼 것이다.

당신을 즉각적으로 믿게 하려고 세상에는 이런 저런 수많은 조직된 운동이 쉴새없이 계속되고 있다. 잠시 눈을 감고 생각해 보라. 선전이란 무엇일까? 한 마디로 말하면 당신을 믿게 하려고 심혈을 기울여 준비한 교묘한 플랜이다. 그 이상도, 그 이하도 아니다.

당신은 동서고금을 통해 그것(선전)이 활약한 모습을 알고 있을 것이다. 예나 지금이나 선전은 계속되고 있다. 그릇된 사상도 선전을 통해 전파된다. 그렇기 때문에 당신을 믿게 하려는 유혹에 세심한 경계를 하지 않으면 안 된다. 왜곡되지 않은 사실은 왜곡되지 않은 사실로 파악하도록 충분히 주의하여야 한다. 그렇게 되지 않으면 자기의 판단을 잠시 보류하는 게 좋다. 감정에 호소해 오는 그럴 듯한 소리가 당신의 이성이나 직감의 본거를 공격하여 쓰러뜨리려 하는 데에 당신의 몸을 맡겨서는 안 된다.

신문을 읽고, 라디오를 듣고, 텔레비전을 보면 잠시도 쉬지 않고 우리들의 귀를 향하여 메시지를 보내 온다. 그것들이 어떤 목적을 가지고 우리를 믿게 하려는 것임을 누구나 쉽사리 알 수 있다. 말하는 사람들도 그 목적을 잘 알고 있다. 그러므로 당신은 지금 말하고 있는 것들을 잘 연구하고, 당신 자신의 결론을 내려 될 수 있는 대로 공평하게, 될 수 있는 대로 편견을 버리고 당신 자신의 의견을 간추린 다음에 그것을 믿도록 하지 않으면 안 된다.

신념은 당신이 가고 싶어 하는 곳으로 제트 추진력의 스피드로 데려간다. 의혹과 불신은 그 반대 방향으로 역시 같은 속도로 데려간다. 신념은 항상 자력(磁力)을 낳고, 불신은 자력을 잃는다.

기도의 효과에 대하여 당신은 무언가 알고 있을 것이다. 기도는 성심성의를 기울인 마음으로부터의 요구 및 소망이라고 하는 이외의 무엇일까? 그리스도는 말했다.

> 네가 바라는 것은 무엇이든 기도하면 반드시 주어지는
> 것으로 믿어라. 그러면 너는 그것을 받게 된다.

그리고 그대로다 ! 소망이 우리에게 어떠한 효과를 안겨
주는가, 또 커다란 소망이 어떻게 사물을 좌우하는가를 우리
는 모두 알고 있다. 몇 세기 동안에 일어난 경제상의 변화는
모두 인류가 스스로를 이롭게 하려는 욕구에 바탕을 두고 이
룩된 것이다.

우리는 믿지 않으면 안 된다. 신념을 갖지 않으면 안 된다.
그렇지 않으면 우리의 마음 속 깊이 있는 욕구(기도)는 오로
지 사라져 가는 물거품에 불과하다.

그리스도는 또 이렇게 말했다.

"네가 만일 믿을 수 있다면, 믿는 사람에게는 모두 이룩된
다."

이것은 모두 당신이 예로부터 들어 온 말이다. 그러나 당신
은 무엇을 해 왔는가? 그리고 이제부터 그 일에 대하여 어떻
게 하려는 것일까?

신앙이나 신념은 한 번 당신이 그것을 붙잡으면 나중에는
그것이 당신을 붙드는 이상한 힘을 지니고 있다. 그것은 당신
의 마음 깊숙이 들어가서 안으로부터 밖을 향하여 작용하게
된다. 당신이 무언가를 확고하게 믿으면 당신은 그것을 마음
속에 실재하는 것으로 만든다. 내부의 창조하는 힘이 당신을
창조한다.

당신이 만일 불안, 공포, 번민, 의혹 등을 가지고 이 영상—
당신이 현재의식에 보낸, 당신이 소망하던 원래의 원형—을
변화시키지 않는 한, 마치 전에 잠재의식 안에 있을 때와 같
은 모습으로 실현되고, 이윽고 당신이 현실적으로 눈앞에서
보는 날이 올 것이다.

믿어라! 신념을 가져라! 그리고 당신의 마음으로부터 사
라지지 않게 하기 위해 내가 몇 번이고 서술한 것처럼 되풀
이하여 말하라.

"욕구하는 것은 모두 자기의 것이 된다!"

신념의 위대한 힘

신념은 실용할 수 없다. 이렇게 내가 당신에게 약속한 것과
같은 일은 일어나지 않는다고 당신은 생각하고 있는가? 그렇
다면 신념이나 신앙의 훌륭한 작용을 실증한 하나의 인생체
험을 여기에 소개하겠다.

그 남자가 재기할 수 있는 비율은 어떤 우주의 힘이 작용
하더라도 수백만에 한 번쯤 일어날까 말까한 완전히 절망적
인 것이었다.

1949년 9월 미시간 주(州) 로체스터 시(市) 출신의 윌리엄
톨즈라고 부르는 열아홉 살의 수병은 구명기구도 갖추지 못
한 채 항공모함에서 실족하여 파도에 휩쓸렸다. 때는 새벽 4
시였고, 아프리카 대륙의 해안까지는 까마득히 멀었다. 파도
에 휩쓸렸을 때, 아무도 본 사람이 없어 떨어지는 순간 거의
절망적이라고 느꼈다.

그러나 이 청년은 광폭한 운명에 결코 낙담하지 않았다. 서둘러 작업복 바지를 벗어 그 바지의 끝을 묶어 엉덩이에 해당하는 곳을 바람을 맞게 하여 즉석의 구명대를 만들었다.

그는 징병(徵兵) 지침대로 '미래에 대한 일은 걱정하지 않기'로 했다. 이윽고 8시 점호에서 그가 없어진 것을 발견하게 될 것이므로 틀림없이 비행기가 수색작전을 펼 것으로 생각했다.

톨즈는 지극히 태연하게 부풀어 오른 작업복의 무릎 부분에 머리를 기대고 자려 했지만, 커다란 물결이 쳐 와서 잠자게 하지 않았다. 공포심을 누르고 그는 '그것'—내부에 있는 신의 힘—에 의지해서 신념을 불러일으키고 "제발 하나님 제가 구조되도록……, 부디 구조되도록 해 주십시오!"하고 거듭 되풀이하여 되뇌기 시작했다.

그러나 날은 밝고 아침이 지나도 비행기는 날아오지 않았다. 그의 마음은 위축되기 시작했다. 파도에 얻어맞고, 바닷물을 들이켜서 멀미가 날 듯했다. 그러나 신념을 잃지 않고 기도를 계속했다.

"하나님이여! 부디 구조되도록!"

그 날 오후 3시경 꼬박 11시간이 지난 뒤, 화물선 에크제큐터 호의 선원에게 발견되었다. 선원들은 대양 한가운데에서 한 인간을 발견하고는 깜짝 놀랐다.

그러나 더욱 놀란 것은, 그 화물선이 전혀 엉뚱한 항로로 운항했다는 사실에 있었다. 화물선의 정기항로는 아프리카 해안인데, 그 항로를 이탈하여 스페인 항로로 들어서 있었던 것이다.

선장은 스스로 키를 잡고 있었음에도 불구하고 왜 자기가 그쪽으로 키를 돌렸는지를 알지 못했다.

톰즈는 구조되는 순간까지도 체력을 유지한 채로 선원들의 샴페인 건배를 받았다.

"네가 믿는다면 믿는 것은 모두 너의 것으로 된다."

선장에게 배의 진로를 바꾸게 하여, 신이 반드시 구해 줄 것이 틀림없다는 믿음을 가지고 있던 한 사람의 인간을 구조케 한 것은 대체 무엇일까?

사람의 마음이 도달하는 범위에는 한계가 없다. 당신의 신념은 얼마나 강할까? 이 사실을 알고부터는 꽤 강해졌을 터이다. 당신은 아마 이런 비상 상태 하에서 이러한 신념의 커다란 시련을 받을 기회는 있지 않다. 그러므로 당신의 생애에서 빠져 들어가는 곤란을 당면하여 '믿었기 때문에 이렇게 되었다.'라는 말을 이해하고, 믿고, 그리고 이를 말하기가 톰즈보다도 훨씬 용이할 것이 틀림없다.

만일의 경우 당신이 굳은 신념을 계속 가지고 있으면, 당신이 욕구하는 모든 것을 가득 실은 배는 언젠가 가까운 날에 반드시 당신을 찾아낼 것이다.

이 신념은 적극적이며 밝고, 기대에 어긋남이 없는 경건한 것이어야만 한다. 그렇지 않으면 내부에 있는 창조하는 힘이 가진 '그것'에 활력을 줄 수는 없다. 당신이 마음의 그림으로 그린 것이 당신에게 가까워지게 하기 위해서는 '그것'에 활력을 안겨 주지 않으면 안 된다.

비상시에 즈음하여서는 그 해답을 일정한 시간 안에 강렬하게 구해서는 안 된다. 왜냐 하면 신의 지각은 이 지상의 시간적 제약 하에서 작용하지는 않기 때문이다. 시간적인 한정을 설정하는 것은 당신을 짓궂게 긴박하게 함과 동시에 구조가 들어맞을지 어떨지에 대한 의문을 불러일으키는 원인이 된다.

당신에게 필요한 것은 구조는 가장 필요한 때에 반드시 온다는 신념을 가질 일이다. 그러한 마음의 태도는 신에게서 모처럼 받은 창조하는 힘 스스로 제한하는 일이 없이 당신이 위급할 때, 필요한 원조와 지시를 불러들인다.

톨즈는 신이 무엇을 해 주는가에 대해서는 조금도 의문을 갖는 일 없이 다만 신념을 가지고, "제발 하나님이여! 구조되도록!"하고 되풀이하고 있었다. 그는 알고 믿었다. 그리고 그것은 그대로 되었던 것이다.

당신의 의념(疑念)을 영원히 묻어라. 만일 당신이 그렇게 믿으면 틀림없이 그렇게 된다.

반드시 이룩한다

뜻 있는 사람은 끝내 그것이 이루어진다.

〈십팔사략〉

여기까지 읽어 온 당신이 당신의 현재를 조금이라도 개선하려고 생각지 않는다면 지금 곧 이 책을 불에 던져 태워 버리라. 그러나 만일 당신이 무언가 향상을 목표로 새로운 결의에 불타고 있다면 당신은 벌써 진보의 도상에 있다. 나는 그것을 확실히 보증한다.

어떤 유형의 사람들은 이런 책(〈신념의 마술〉이나 그것과 유사한 것들)을 무언가 헐뜯기 위해 읽을 것이다. 그 대부분은 모든 종류의 무슨무슨 주의(主義)를 어설프게 짐작하고 있을 따름이다.

그러한 사람들은 제법 신랄한 말투로 내게 이런 말을 해 온다.

"나는 형이상(形而上)의 연구로 아무것도 얻은 바가 없습니다. 나름대로 충실하게 공부했기 때문에 형이상에 대한 것은 잘 알고 있습니다. 그렇지만 어느 것이나 실생활에 도움은 되지 않습니다. 당신의 저서도 읽었지만 유감스럽게도 전혀 얻은 것이 없어 무척 실망했습니다."

이 문장은 내가 쓴 것이 아니다. 별로 악의도 없는 평범한 사람으로부터 받은 편지 속의 문장을 그대로 인용한 것이다.

이러한 사람들은 한 권의 책이나 어떤 종교, 철학 등에서 아주 단편적인 지식을 얻은 사람들이다. 그들은 '저 포도는 틀림없이 실 거야.'하고 포기해 버린 우화 속의 여우와도 같다. 깊이 파고들지 않기에 심오한 진리를 느끼지 못하는 것이다.

많은 사람들에게 기적을 안겨 준 새로운 사고방식이나, 사이언스를 읽고도 이것은 자기에게 전혀 소용되지 않는다고 처음부터 정해 놓고 있다. 그들은 너무나도 완전함을 기대한다. 때문에 자기의 번민을 해결하거나, 불행한 생활을 충분히 개선할 수 있는 건설적이고, 적극적인 밝은 점을 거들떠보지도 않고 거꾸로 결함이나 모순, 그리고 오류를 찾아내려고 한다. 원래 그 사람의 잠재의식은 비뚤어져 있다. 그런 원인으로부터 자기에 대해서도, 다른 사람에 대해서도 언제나 무언가 억지를 쓰려고 한다.

그들은 자기에게 사람들의 주목을 끌어 자기 감상에 골몰하려 한다. 부모나 누군가가 스스로 생각하는 만큼 제대로 대접해 주지 않았다고 불평을 늘어놓기 일쑤다. 그런 행위로써 기분만이라도 만족을 얻으려고 하고 있는 것이다.

뜻하는 바와 같은 생활을 이루지 못하는 자기의 무능함을 변명하기 위해 형이상의 연구는 계속한다. 그러나 단지 남에게 보이려는 의도에서 진행하고 있기 때문에 실속은 없다.

그러한 타입의 어느 부인이 나에게 이렇게 고백했다.

"지금까지 나는 차례차례로 극심한 재난을 겪어 왔습니다. 언제나 어떻게든 재기하려고 정신적인 연구를 하거나 기도를 했습니다만, 전혀 효과가 없습니다. 때로는 사정이 바뀌어 호전의 기미가 보이기도 했습니다. 그러나 그 때마다 무슨 마가 끼었는지 묘한 일이 일어나곤 해서 생활이 송두리째 흔들렸습니다. 그런 일이 있고 난 후에는 더욱더 좋지 못한 방향으로 이끌려 갑니다. 이즈음에 와서는 번민, 비극, 불행, 그리고 고독 등이 나의 의식에 착 달라붙어 아무리 노력해 보아도 도저히 쫓아낼 수가 없습니다."

물론 남 보기와는 달리 우리는 자기 자신을 객관적인 입장에서 관찰하기는 어렵다. 우리가 어떻게 그릇된 사고방식으로부터 불행을 자기의 곁으로 끌어당기고 있는지를 제삼자의 입장에서 보기는 어렵다. 이 부인은 다시 말을 이었다.

"사람들을 위해 항상 노력하라. 그리하면 반드시 보수가 되돌아온다고 말씀하셨습니다만, 그것은 진실한 것이 못 됩니다. 저는 어릴 때부터 사람들에게 좋은 일을 많이 해 왔다고 자부하고 있습니다. 그런데, 그 사람들은 지금까지 무엇 하나 저에게 해 준 일이 없습니다. 세상 사람들은 친근한 표정으로 제 주변에 모여들어 저의 친절이나 좋은 성품에 달콤한 말들을 해 왔습니다. 그렇지만 그들의 속셈을 알고 보면 실망하게 됩니다. 저는 지금까지 무척 많은 선행을 했습니다만 되돌아온 경우가 단 한 번도 없습니다. 저에게 돌아오기 전에 누군가가 도중에서 가로채는 것이겠지요."

이 부인의 사고방식에는 약간 그릇된 점이 발견된다. 당신은 알고 있을까 ?

답례를 기대하는 선행이란 있을 수 없다. 그것은 진실로 베푸는 것이 아니다. 또 도움을 청하지 않는 사람에게 구원의 손길을 뻗쳐 봤자 그것은 도움이 안 된다. 도움을 받게 된 사람은 오히려 화를 낸다. 화를 내는 것이 당연하다. 분명한 이유도 없는데 사람들이 당신에 대해서 친절이 지나치면 어쩐지 마음이 좋지 못할 것이다. 그리고 이렇게 혼잣말을 할 것이다.

"무슨 일이 있어서 저 사람은 이렇게 참견할까?"

"왜 그들은 나에게 이런 부담을 느끼게 할까? 나에게 어떤 교환조건을 요구하려고?"

친구나 친척이 당신을 이기적이고 계획적으로 이용하는 일도 있다. 그러나 우리가 잘못 생각하여 너무나도 많은 것을 기대하고 있는 일도 있다. 또 빌려 준 원금만을 처량한 표정으로 돌려 달라고만 하는 수도 있다.

앞에 소개한 부인과 같은 사람들은 최선의 것을 구하면서 잠재의식적으로는 최악의 것을 기대하고 있다. 그 당연한 결과로서 최악의 일이 일어난다. 왜냐 하면 이 최악의 기대는 그녀의 마음 속에서 더욱더 강한 감정으로 되어 있기 때문이다.

그녀의 자력은 좋은 환경과는 반대로 나쁜 환경을 끌어들이는 일로 향하게 되고, 그녀의 '그것', 즉 내부에 있는 창조하는 힘은 그녀의 과거에 있어서 불행한 체념을 영속시킬 뿐이다. 세상 사람들은 자기를 이용하기만 하고 필요할 때 구원의 손길을 뻗쳐 주려 하지 않는다고 생각하고 있기 때문에 그대로 진행되고 있는 것이다.

이것은 마음에 그림을 그리는 데 대한 참으로 훌륭한 하나의 본보기가 아닐까? 이와 같은 마음의 영상으로부터 대체 무엇을 기대할 수 있을까? 아마 바싹 말라 버린 빵조각도 바랄 수 없을 것이다.

마음이 어떻게 작용하는가를 알게 된 당신에게는 분명할 것이다. 이 부인이야말로 내부에 있는 힘을 거꾸로 작용시킨 전형적인 좋은 예이다.

이런 유형의 사람들의 생각에는 하나의 커다란 근본적인 잘못이 있다. 만일의 경우 그들이 그것을 깨닫기만 한다면 잘못 달라붙은 사고방식으로부터 해방되고 재빠르게 곤경으로부터 벗어날 수 있다. 요약해서 말하면, 마음 속의 가장 큰 힘을 지금까지 한 번도 자기를 위해 작용시킬 수 없었다고 호소하는 사람들은 오히려 그릇된 사고방식에 그 힘을 강력하게 작용시키고 있었던 것이다. 그러므로 성공 대신에 실패를, 행복 대신에 불행을 낳게 된 것이다.

당신은 내부에 있는 힘을 자기에게 불리한 방향으로 돌리고 있지는 않은가?

자, 이제 당신은 전체적으로나 부분적으로도 그와 같이 해왔는지 어쨌는지를 솔직하고 정직하게 반성해 보라. 만일 그렇다면 그것이 당신의 화근이다. 당신은 자기의 생명력, 즉 마음의 뛰어난 힘을 오용하고 싶지는 않을 것이다.

당신의 생각을 고치라. 그렇게 하면 당신을 둘러싸고 있는 환경은 당장이라도 변화를 일으키기 시작한다. 자석의 방향을 바꾸라. 그렇게 하면 당장이라도 자력은 작용한다. 자장(磁場)이 바뀐다. 그러나 만일 당신이 선으로부터 악으로 간단없이 동요한다면 이미 얻은 것을 잃고 끊이지 않는 불행한 결과를 낳게 된다.

자력을 당신의 진정한 소망을 향하여 돌리고, 목적하는 것이 입수될 때까지 꾸준히 간직하라. 그렇게 하려면 의사의 힘, 즉 세련된 결단, 최후까지 이룩해 놓겠다는 결의, 건설적인 사고방식의 파악이 필요하며 내부에 있는 창조하는 힘을 당신의 목적물에 도달하도록 하는 일이 중요하다.

> **나는 이룩한다, 이룩한다! 한다, 한다!**

이 말을 되풀이하고 되풀이하여 참으로 그 마음이 되어야만 한다. 거울을 볼 때 말하라. 하루의 일과를 시작할 때 큰 소리로 외치라.

"나는 한다! 한다! 한다! 나는 한다!"

이 결의를 당신의 의식의 일부로 하여 그에 따라 동요되지 않는 강력한 결의를 하라.

어느 날, 한 흑인이 아무리 해도 움직이지 않는 커다란 당나귀를 끌고 가려고 했다. 주인이 그것을 보고 말했다.

"이것 봐, 자네는 그 당나귀에게 어떻게 하든 '한다'는 자네의 의사를 왜 쓰지 않는 건가?"

흑인은 머리를 흔들며 이렇게 말했다.

"안 됩니다. 이 당나귀 녀석은 '하지 않겠다'는 뱃심으로 맞서고 있습니다."

당신은 '하지 않겠다'는 의사를 쓰고 있는가? 만일 그렇다면 이미 출발 전부터 의사력을 꺾어 놓고 있는 것과 같다. 만일 마음 속에서 무엇인가가 '너는 할 수 없다. ……너는 할 마음이 없다!'고 생각하고 있으면 표면상으로 아무리 '나는 무슨 일이 있어도 한다.'고 말해도 의미는 없다.

이 세상에서 가장 다루기 힘든 사람은 첫 출발점에서 '나로서는 할 수 없다. ……하고 싶지 않다!'고 공언하는 사람들이다.

'할 수 없다'는 역행하는 힘이다! 전진이나 역행 어느 쪽도 정확히 당신의 욕구하는 대로의 결과를 가져온다. 각각 당신이 말하는 대로 틀림없이 당신에게 따른다.

'할 수 없다'고 하는 사람은 자기 자신을 구출하는 데 필요한 노력을 할 마음이 없기 때문이다. 따라서 그런 사고로는 내부의 힘에 신념을 결부시킬 수도 없다.

당신은 현재의 당신에게 충분히 만족하고 있을까? 사회는 당신을 책임질 의무가 있다고 생각하고 있는가?

자기를 기만해선 안 된다. 당신을 고난에서 구할 길은 하나밖에 없다. 그 스타트를 끊는 것은 당신이다. 당신 이외에 아무도 그 길을 안내할 수 없고, 또 후원할 수도 없다. 다른 사람은 그 길을 가르치고, 당신을 재기시키고, 바른 방향을 가리킬 수는 있으나 걷는 것은 당신 자신이다.

나는 한다! 한다! 무슨 일이 있어도 한다!

바로 그것이다. '나는 무슨 일이 있어도 한다.'는 의사력은 당신의 보일러에 증기를 만들어내고, 타성의 뚜껑을 걷어 차내고, 해이해진 뇌세포에 모션을 갖추게 하고, 몸과 마음에 새로운 생명력을 약동시킨다.

'할 수 없다.'는 마음의 독창력과 열의를 죽이고, 모든 기능을 멈추게 할 뿐이다.

'한다' 는 힘을 주입하라

"무슨 일이 있어도 한다."고 하는 의사력을 주입하라 !

'무슨 일이 있어도 한다는 힘'과 '나는 할 수 없다는 힘'과 어느 쪽의 주사를 당신은 바라는가?

이것은 당신의 생애의 가장 중요한 결정이다. 당신의 생애의 모든 것은 이 결정에 달려 있다.

전자는 지금까지 당신이 생각한 일도 없는 커다란 행복과 성공과 건강을 안겨 준다.

후자는 극심한 불행이나 실패나 병을 안겨 준다.

선택하라. 선택은 당신의 자유다 ! 비용은 들지 않는다. 어느 쪽이나 마음대로 사용할 수 있고, 어느 것이나 신뢰할 수 있다. '한다'든지 '할 수 없다'고 선언하면, 스타트할 순간에 그 작용이 나타난다.

나는 당신이 '할 수 없다'는 선택을 하리라고는 결코 상상도 할 수 없다. 지금까지 당신은 나의 충고를 끈기있게 들어 왔기 때문이다.

일단 달라붙은 생각을 의식으로부터 떨쳐내기는 쉽지 않다. 그러나 '무슨 일이 있어도 한다'야말로 그것을 가능하게 하는 힘이다. 만일 당신이 역경을 즐기는 습관에 젖어 있다면 그 습관은 끝까지 달라붙어 떨어지지 않을 것이다. 당신은 과거의 실패나 성격의 나약함을 향하여 엄격하고 무자비한 조치를 취하지 않으면 안 될지도 모른다. 자기에 대한 연민이나 자기를 두둔하는 것과 같은 감정이 들어갈 여지를 남겨 놓아서는 안 된다. 그렇게 하지 않으면 '나는 할 수 없다'가 계속 지배할 것이다. 이들 힘은 '무슨 일이 있어도 한다'를 향하여 될 수 있는 한, 오래 저항을 계속할 것이다. 왜냐 하면 만일 '무슨 일이 있어도 한다'가 침입해 오면 스스로 쫓겨날 것을 알고 있기 때문이다.

어떤가? 당신은 '무슨 일이 있어도 한다.'의 한 패가 되겠는가? 만일 그렇다면 당신의 옛 사고 '나는 하지 않는다.' 시대를 두 번 다시 추억하지 않음이 좋다. 지금에야 당신의 정면에는 새로운 탄탄대로가 열려 있고 거기에는 세상의 모든 가치있는 이들이 당신을 기다리고 있다.

지금 당신 자신에게 '한다! 한다!'고 말하라.

이 긍정적 사고방식이 당신의 마음을 분발케 하여 새로운 희망, 새로운 포부, 새로운 결의, 새로운 자신을 보낼 것이다.

'나는 한다.'고 말하라. 그리고 그것을 믿으라. 그러면 당신은 과거의 고난들과 결별하고 새로운 인생항로에 영구히 발을 내디딘 것이다.

밝은 사고방식의 위력

내 비장의 보물은 아직 수중에 있다. 그것은 희망이다.

– 나폴레옹 –

우리는 모두 계산이나 사태를 판단하는 데 있어서 소극적이고 어두운 사고방식을 하는 경향이 있다. 그것은 이런 회화에 잘 나타나 있다.

"그런 일은 될 리 만무해."

"나는 마음이 놓이지 않아."

"만일 그렇게 하면 과연 어떻게 될까?"

"세상 사람들은 알 리 없어."

"노력해 봤자 결국 헛일이야."

"나에겐 도저히 틈이 없어."

사람들은 이런 말을 사용하여 자기의 입장을 변호하려 한다. 만일 당신 자신이 이러한 생각을 갖지 않는다 하더라도 세상 사람들이 당신에게 그런 말을 들려 줌으로써 암시의 무서운 힘이 작용하게 된다.

암시는 실로 무서운 힘이다. 어린아이에게 어떤 암시를 계속 주입하면 그대로 된다. 말이 씨가 되는 것이다.

진보 향상하려면 긍정적인 태도를 취하지 않으면 안 된다. 당신 자신을 긍정적인 형태의 인간으로 발전시키려면 어떻게 하면 좋은가를 지금이야말로 당신도 알지 않으면 안 된다.

소극적인 형태의 사람은 출발하기도 전에 이미 낙오되고 있다. 자연은 예로부터 적자생존(適者生存)의 원칙에 의하여 그러한 사람들을 처리해 버렸다. 옛 스파르타 풍습은 널리 알려져 있다. 갓난아기는 내쫓겨 각자의 운명에 맡겨지고 살아남은 자만이 비로소 어린이의 단계로 성장할 기회가 주어진다.

소극적인 타입은 탈주자다. 거꾸로 말하면 탈주자는 소극적인 타입의 사람이다. 무언가 일을 시작하기에 앞서 모든 사람들의 의견을 타진하며 돌아다니는 사람이 있는데, 이는 뜻 없는 일이다. 세상에는 긍정적인 사람보다 부정적인 사람이 좀더 많다. 그들은 당신의 일을 부정부터 하고 나선다.

"과연 그게 될까? 힘들겠는데……."

그들로부터 이런 말을 들으면 당신의 신념도 덩달아 흔들리게 된다.

그렇다고 해서 모든 일을 당신 혼자서 결정하고 추진하라는 말은 아니다. 지혜롭고 긍정적인 사람의 조언을 받아야 한다. 그들을 찾기는 그리 어렵지 않다. 크게 성공한 사람들이 바로 그들이기 때문에 쉽게 눈에 띈다.

지지 않으려는 인간은 결코 지지 않는다.

만일의 경우 뜻하지 않은 일을 당하여 알지 못하는 사이에 수세에, 몰려 있는 일이 있다면 당장 그 곳을 벗어나지 않으면 안 된다. 속히 공세를 취하라. 만일 방어를 계속한다면 당신은 틀림없이 지게 된다.

생애의 가장 큰 적은 항상 공포감, 또는 불안감이다. 그렇기 때문에 많은 사람들은 소극적으로 되며 밝고 적극적인 태도를 취할 수 없다. 불안이나 공포는 위대한 파괴자다. 당신의 생활에 불안감이나 공포가 지배하는 것을 허용하면 당신의 힘은 빠지고 뜻있는 일을 해낼 수 없다.

<구약성경>의 욥은 거의 3천 5백 년 전에 이렇게 말했다.

"무척 두려운 일이 내 주변에 일어났다. 내가 예측한 일이 닥쳐왔다."

불안한 예측은 거의 정확하게 들어맞는다. 마음에 끊임없이 그 불안을 상상하고 있기 때문에 놀라운 힘으로 작용하는 것이다.

이 책을 여기까지 읽어 오는 동안, 당신이 스스로의 생각을 소중하게 하면 그 생각도 덩달아 당신을 소중하게 한다는 사실을 깨달았을 것이다.

이 지구상에서 당신의 생각을 좌우하는 힘은 당신 이외에는 없다. 또 당신의 생각을 적극적으로 유지하는 방법은 당신 한 사람의 지배 밑에 있다.

F. D. 루즈벨트 대통령이 다음과 같이 말한 것은 참으로

훌륭하다.

"우리가 참으로 두려워하지 않으면 안 될 것은 공포, 그 자체뿐이다."

루즈벨트는 그 말의 의미를 알고 있었다. 그의 이 말을 들은 수많은 사람들도 수긍했다. 왜냐 하면 모두들 경험을 통해 두려운 것보다도 그것을 두려워하는 공포심이나 불안감, 그 자체가 얼마나 두려운 것인가를 느꼈기 때문이다.

무언가 두려움의 실체와 마주치는 편이 그것에 대한 예감보다도 훨씬 편하다. 왜냐 하면 두려움의 예감은 언제나 상상력이 강하게 작용하여 모든 것을 과장하기 때문이다.

많은 사람들은 두려워하던 일에 정작 당면하면 전에 자기가 상상하던 것에 비교하여 의외로 그만큼 나쁘지도, 곤란하지도 않음을 알고 오히려 부끄러워할 정도다.

공포의 영상을 버려라

잊어서는 안 된다. 당신은 마음에 그림을 그림으로써 무엇인가를 생각하는 것이다. 당신이 생각하고 있는 일 중에 강한 공포감을 갖는 것은 모두 마음 속에 뿌리박고 있는 씨앗과 같은 것이다. 그것은 방치해 두면 놀랄 만큼 빠르게 성장한다. 그리하여 당신의 생애에 언젠가는 드디어 그와 비슷한 사건을 만들어내게 된다.

그릇된 감정반응은 늘어날 뿐이다. 불안이나 공포감도 차례차례로 일어난다. 그것들을 막고 당신의 몸을 지키기 위해 감정을 제어하는 힘을 기르지 않으면 안 된다. 만일의 경우 당신이 다음과 같은 감정이나 불안을 말했다면 많거나 적거나, 공포나 번민의 포로가 된다.

"나는 너무 불안해서 사물을 똑바로 생각할 수 없습니다."

"나는 무엇을 하더라도 좋은 결과를 얻게 될 것 같지 않습니다."

"나는 나 자신도, 그리고 신도 믿을 수 없게 되었다."

"신경이 날카로워지고 너무 긴장해서 나는 요즘 몇 주일 동안 잘 수가 없습니다."

"내 주변에 일어나는 일에는 손을 든다."

"좋지 못한 것은 잘 알고 있으면서도 두려움이나, 증오나, 원한이 치밀어 나를 흥분시키는 데는 어쩔 도리가 없다."

"이제 살맛이 없다. 만일 죽음이 두렵지 않다면 자살하는 편이 차라리 낫겠다."

이런 일은 당신다운 일일까? 당신이 전에 말한 것과 비슷할까? 만일 그렇다면 단호히 소극적인 패배주의적인 태도나 사고방식을 버려야 할 때이다. 많은 사람들은 나에게 이런 식으로 말한다.

"불안이나 번민으로 마음이 우울해서 아무리 해 봐도 이겨낼 길이 없습니다."

그들은 내가 마법의 지팡이를 휘두르고 주문을 외워 불안이나 번민을 쫓아 줄 것으로 기대한다. 그것이 될 수만 있다면 세상에 불행하게 살 사람은 절대적으로 없다. 그러나 세상에 그렇게 쉬운 일은 존재하지 않는다. 그래서 나는 솔직히 정면에서 단도직입적으로 이렇게 말하지 않을 수 없다.

"당신을 그렇게 해서 구해 주고 싶은 마음은 간절하지만,

그러나 이 세상의 법칙은 그렇게 용이하게는 되어 가지 않습니다. 당신은 공포심 때문에 불러들인 현상에 대해 불평을 털어놓고 있습니다. 하지만 불평만 늘어놓고 당신 자신이 아무런 노력도 하지 않는다면 그러한 불행은 앞으로도 변함없이 계속될 것입니다."

그것은 많은 사람들에게 있어 좋게 들리는 말은 아니다. 그렇지만 그 사람들의 몇 퍼센트는 반드시 충격을 받고 새로운 활동을 시작하게 된다. 그것은 당신이 얼마나 불안이나 번민을 쫓아내고 싶다고 간절히 바라고 있는가의 정도에 따른다.

당신의 의지력을 구사하여 당신의 생각을 소극성에서 적극성으로 바꾸지 않고는 도저히 이 질병으로부터 피할 도리가 없다.

끈기있게 계속하라

"나는 올바른 생각을 가지고 있다."고 자만하는 사람을 만나 재미있는 일을 발견한 일이 있다. 그 때 나는 "어느 정도의 시간."이냐고 물었다. 그러자 그는 "몇 분 동안."이라고 대답했다.

당신은 바른 사고방식으로 살 것을 차분히 익히지 않으면 안 된다. 몇 분 동안이라는 것이 아니라 매일처럼 유지해야 한다.

당신이 테니스를 하고 있다고 가정해 보라. 상대자가 친 공을 두세 번 쳐 보낸 다음, 코트 밖에 앉아 2, 3분 쉰 다음에 다시 일어나 라켓을 휘둘러 2, 3회 공을 친다. 그리고 또다시 뒤로 가서 앉아 있다고 한다면, 그것으로 테니스를 하고 있다 할 수 있을까? 꽤 묘하게 생각될 것이다.

인생의 승부는 쉴새없이 계속한다. 그것에 승리하기 위해서는 당신이 좋아하건 말건 그 승부에 몸을 내던지지 않으면 안 된다. 그리고 당신을 향하여 쳐진 모든 공에 대하여 있는 힘을 다하여 쳐 보내지 않으면 안 된다.

인생에서 가장 곤란한 당신의 적은 불안과 번민이다. 그것을 타도할 유일한 길은 적극적인 공세뿐이다. 도망칠 태세여서는 안 된다. 불안이나 번민에 정면으로 맞서야 한다.

불안에 용기를 가지고 맞서면 그것만으로도 큰 효과를 거둘 수 있다. 불안은 몸둘 바를 모르고 쩔쩔맨다. 가차 없이 일격을 당한 셈이다. '용기'라는 글자와 '무슨 일이 있어도 한다.'라는 글자를 한데 묶어 일격을 가하면 그는 드디어 비틀비틀 주저앉고 만다. 그것은 분쇄기의 역할을 한다.

당신은 적극적인 동시에 또 소극적이어서는 안 된다. 어느 쪽이건 하나를 정하지 않으면 안 된다. 당신의 머리에서 피가 흐르고 있더라도 후퇴하지 않는 한, 겁을 내어 부들부들 떨지 않는 한 당신의 숙적인 '불안'은 지리멸렬하여 그대로 물러간다. 그러한 적극적인 밝은 공기 속에서는 불안이 절대로 머물지 못한다.

이런 속담이 있다. 생각할수록 의미심장하다.

"사람은 먹는 것 때문에 궤양(潰瘍)이 되지는 않는다. 사람에게 파고 들어가는 것 때문에 궤양이 된다."

당신에게 파고 들어가는 불안은 당신의 신체 구조를 혼란케 하고, 모든 병에 걸리기 쉽게 만든다. 공포는 소화불량, 신경과민, 알레르기성 반응, 그 밖에 중대한 장애로 발전하는 갖가지 생리적 반응의 원인이 된다.

"나는 어두운 곳이 두렵다. 떨어질 것 같은 생각이 들어 두렵다. 불이 무섭다. 이것저것 두렵고, 참으로 나는 무엇이나 다 두렵다."

이렇게 호소하는 사람들을 만나면 나는 이런 질문을 던진다.

"그럼, 당신은 거기에 어떤 대책을 세웠습니까?"

"제가 어떻게 하느냐는 말씀입니까? 나는 그저 두렵기만 합니다. 그뿐입니다!"

그들은 공포와 불안을 반복하고만 있었을 뿐이다. 두려워하면 두려워할수록 한층 더 불안하게 된다. 유(類)는 항상 유를 부른다.

눈이 쌓인 언덕을 눈 덩어리가 굴러 내리기 시작한다. 처음에는 조그마한 덩어리였으나 기슭에 떨어질 무렵에는 커다란 눈사태로 된다. 불안의 눈 덩어리를 처음부터 부숴 놓지 않는 한 그것은 드디어 당신을 삼키고 매몰해 버린다.

번민은 불안의 시녀이다. 아니 '배우자'라고 나는 말하고 싶다.

조지 워싱턴 라이언은 말했다.

"번민은 노고를 빌려 오는 사람들이 지불하는 이자(利子)다."

존 버니언은 매주 이틀 동안만 번민을 하지 않을 수 있었다고 말했다. 그는 이렇게 쓰고 있다.

'나는 1주일 동안에 이틀 동안은 번민하지 않는 날이다. 공

포나 불안에 사로잡히지 않는 즐거운 이틀이다. 그 중의 하루
는 어제이며, 나머지 하루는 내일이다.'

자, 만일의 경우 당신이 어제와 내일로부터 불안을 제거할
수 있다면 나머지는 오늘뿐이다. 오늘만 극복할 수 있다면 당
신은 뜻을 이룬 것이다.

오늘이라는 날이 당신이 살고 있는 유일한 날이다. 오늘이
야말로 당신이 현실로 직면하고 있는 유일한 날이다. 이 오늘
이야말로 건설적인 일이든, 파괴적인 일이든, 무언가 하지 않
으면 안 되는 유일한 날이다. 어제는 이미 지나가 버렸고 내
일은 아직 오지 않았다.

오늘이야말로 어제가 되지 않는 동안에 전진 아니면 후퇴
를 결정하는 기회다. 오늘이야말로 내일이 되지 않는 동안에
당신의 장래를 위해 튼튼한 기초를 쌓는 날이다.

당신은 오늘이라는 날을 어떻게 활용하고 있는가? 당신은
오늘을 평소와 다름없이 불안과 번민 속에 살고 있는가? 내
일도 또 같은 일을 되풀이하고 싶은가?

적극적이고 밝은 사고와 소극적이고 어두운 사고가 선 아
니면 악을 위해 세상을 지배한다.

경기의 상승이나 하향도 모두 우리들의 사고방식 때문이다.
위대한 세계적 지도자, 정치가, 금융인, 편집자, 출판인, 경제
학자 등 수많은 사람들의 사고를 지도하고 영향을 주는 사람
들의 기획 안에 소극성이 내포되어 있다면, 소극성이나 공포
심의 진동파는 수많은 사람들과 기업에 침입하여 경제계는
거의 정체상태에 빠지고 말 것이다.

세계적인 지도자들이 긍정적인 사고를 가지고 전진을 한다

면, 그야말로 수많은 사람들의 사고방식도 호전되어 경제계도
밝아진다.

인류의 고질, 불안을 격멸하라!

적극성을 띠어라! 용기를 가져라! 믿어라! 신념을 가져
라! 오늘 당장 마음의 준비를 갖춰라! 그렇게 함으로써만
당신의 미래는 당신이 바라는 대로 쌓아 갈 수 있다.

이것을 기억하라. 사람은 세계 어느 곳을 가더라도 똑같은
사람이다. 지구의 양쪽 끝 어떠한 도시에 가더라도 인간은 모
두 같은 감정, 같은 영향, 같은 진동파로 활동하고 있다. 그리
고 지방단체이든, 도시이든, 국가이든 모두가 사람들의 모임
인 것이다.

거듭 되풀이하자. 사람은 그 마음에 생각하고 있는 대로의
것이 바로 그 사람의 모습이다.

시골 사람들이 생각하고 있는 것이 곧 그 시골의 모습이다.
도회지 사람이 생각하고 있는 모습이 그 도시다. 국민이 생각
하고 있는 모습이 곧 그 국가이다. 당신이 살고 있는 시대의
사고에 당신도 기여하라. 당신의 진취적인 밝은 태도는 다른
사람들을 진취적으로 이끈다. 사소한 좌절, 또는 장애를 걱정
하지 않는 게 좋다.

당신의 눈앞에 있는 건널목을 기차가 요란한 소리를 울리
며 지나갈 때, 당신은 자동차에 브레이크를 걸고 기어를 뉴트
럴에 넣어 엔진을 겉돌게 한다. 기차가 지나가면 다시 차를
달린다. 그렇지만 기어를 반대로 넣어 백 [後進] 하지는 않는

다.

당신 자신을 자동차의 기어에 비교해 보라. '백'에는 불안, 번민, 곤란, 고통이 있다고 생각하라. 그리고 만사가 좋지 못한 방향으로 향할 때는, 그 때문에 곧 흥분하여 자제를 잃는 일이 없도록 침착하게 브레이크를 밟고 엔진을 공전시켜 정면의 당신이 갈 길을 똑똑히 확인하라.

하이 [高速]에는 당신이 바라는 건강, 재산, 행복, 성공 등 모든 것이 내포되어 있다. 당신 자신의 손 이외에는 세계의 어떤 힘도 당신의 자동차의 기어를 '백'으로 넣을 수는 없다. 만일 당신의 차의 기어가 백으로 들어갔다면 그것은 당신의 책임이다. 당신 자신의 그릇된 생각에 의하여 기어를 거기에 넣은 것이다.

다음은 셰익스피어의 희곡 <햄릿>에 나온 말이다.

"선한 것도, 나쁜 것도 없다. 사람의 생각이 다만 그렇게 정할 따름이다."

그러므로 당신은 자기의 생각에 따라 전진하든지, 후퇴하든지, 기어를 하이에 넣든지, 백에 넣든지 어느 쪽으로도 조작할 수가 있다. 당신이 자기를 후퇴, 즉 번민과 초사(焦思)에 두면, 저 철, 철, 철! 하고 되풀이하는 사이언스를 사용하여 가장 피하고 싶어 하는 것을 스스로 실현시키고 있는 것이다.

자기에게 이렇게 말하라.

"지금 이 순간부터 나는 밝고 적극적으로 된다."

당신이 그렇게 말하는 이상 그것은 곧 당신의 각오다.

후퇴 기어의 우측에 철의 벽을 쌓으라. 그렇게 하면 두 번 다시 백으로 들어가지 않는다. 어제의 문을 닫으라. 꼭 잠가 두라. 거기에서 기어를 로우로부터 하이로 바꾸어 넣고, 언제까지나 그 상태를 유지하라.

제4부

신념의 폭탄을
악용하지 말라

정신감응의 경이

신은 모든 것을 본다. 그러나 우리는
신을 보지 못한다. 그와 같이 정신은 눈에
보이지 않는다. 그러나 그것은 모든 것을 보고
있다. 정신이 육체를 지배한다.

이루고 싶어 하는 일을 우선 마음 속에서 이루고, 그리고
마음을 이용하여 결국 원하는 것을 현실적으로 입수하기 위
해서는 무엇보다도 먼저 당신의 잠재의식의 작용을 좀더 자
상히 알지 않으면 안 된다. 잠재의식의 기능에는 불가사의한
일들이 의외로 꽤 많다. 그래서 수많은 과학자, 의사, 생물학
자, 인류학자, 심리학자, 정신병학자, 기타 모든 권위자들이
인간 두뇌의 심오한 곳에서 무엇이 일어나고 있는가를 좀더
밝혀내려고 노력을 기울이고 있다. 이제는 인간의 뇌수(腦髓)
의 상당히 큰 부분을 제거하더라도 그 사람의 의식이나 지성
은 잃지 않는다는 사실을 알았다.

당신은 전기 뇌파기록기(腦波記錄機)에 대하여 들은 일이
있을 것이다. 즉 뇌파를 조사해 기록하는 민감한 장치이다.

인체의 구조는 우리가 전에 생각한 것과 같은 물리적 조직은 아니다. 현재는 대단히 정교한 전기적이거나, 화학적인 기계에 비교되고 있다. 근대의 과학자들은 소위 '영혼'은 육체의 일부로서 육체와 함께 죽는 것으로 생각하고 있었다. 그러나 오늘날에는 그것을 단정하는 과학자는 드물다. 사실 많은 과학자들은 지성이나 의식이라는 것이 육체를 통하여 발현되는 것인지도 모른다는 결론을 내리고 있다.

그렇다면 당신의 정신은 이 세상에 있는 한 일시적으로 육체라는 집에 살며, 경험을 쌓고, 그 경험에 의하여 정신이나 의식을 진화시키고 드디어 이 집이 낡아서 못 쓰게 되면, 그 집을 떠나간다고 생각할 수도 있다.

너무나 환상에 치우치고 있을까? 우주를 모험하기 위해 여행하는 만화의 주인공 버크 로저스의 시대에는 어떠한 환상도 있을 만하다.

사람이 마음으로 생각하는 것은 모두 사람의 마음이 달성할 수 있다. 인류는 오랜 기간에 걸쳐 의식의 생존을 계속해왔으나 그 동안 시종 죽지 않기를 갈구해 왔다. 인류는 종교와 철학, 그리고 문학과 예술, 또 개인적인 동경에서 내세(來世)를 꿈꾸고 노래했다.

이제는 '오감(五感)을 초월한 저 세상'이 있음을 직감적으로 감지하고 있다. 그렇게 분명히 말할 수 있다고 생각한다. 그것은 지금 인류가 사는 세계와는 차원이 다른 세계로 이른바 '사후의 세계'이다. '이 세상의 생명이 모두는 아니다.'라는 것을 느끼고 있는 것이다. 그것은 신의 위대한 영역에 대한 깨달음이라고 말할 수 있다.

이와 같이 당신 자신과 몸 안에 있는 의식과의 관계를 아는 열쇠는, 당신의 일부를 이루는 잠재의식을 더욱 능숙하게 컨트롤하고 지령하는 데 있다.

당신은 잠재의식에 대하여 얼마나 알고 있을까? 그것은 우주에서 가장 눈부신 기계임을 알고 있을까? 아마도 '기계'라는 말은 어울리지 않을지도 모르겠다. 그러나 어떻든 간에 뭐라 이름을 붙여 부르지 않을 수 없다. 적당한 표현이 있다면 당신은 나름대로 그 표현으로 이해해도 좋다. 당신이 만일 바르게 지령하면 그것은 시계처럼 정확히 작용한다. '그것'은 당신이라는 존재의 주인임과 동시에 노예가 되기도 한다. 당신의 노예가 주인인 당신을 절대적으로 믿고, 당신의 명령을 있는 그대로 충실히 지켜 바라는 것을 모두 가져다 준다면, 그것은 바로 당신의 내부에 있는 잠재의식의 작용에 대한 조그마한 하나의 본보기다.

이것은 당신의 체험에 달라붙은 심상이나 감정을 장래의 사용에 대비하여 저장하는 곳이다. 어떤 사람, 또는 어떤 물건에 대하여 느낀 것은 당신의 잠재의식에 파일(pile)되고 있다. 당신이 갖는 불안이나 번민, 증오, 편견 등은 모두 좋은 생각과 함께 거기에 담겨 있다. 당신이 좋은 생각을 품고 있으면 이미 파일되어 있는 같은 성질의 좋은 생각과 배열하여 협조한다. 당신이 오늘 어떤 사람을 좋아하게 되고, 그 생각을 바꾸게 할만한 아무런 일도 일어나지 않는다면 내일은 그 사람을 더욱 좋아하게 된다. 왜냐 하면 오늘의 그를 대하는 마음가짐은 매일과 같이 어제의 마음가짐의 위에 추가되어 가기 때문이다. 반복은 정말 놀랄 만한 힘을 가지고 있다. 반복은 습관으로 굳어진다.

어떤 일을 어떤 방법으로 시작하면, 당신의 생각을 바꾸거나, 다른 방법으로 하지 않는 한 당신은 줄곧 같은 방법으로 그것을 계속할 것이다. 당신은 당신의 마음속에 마치 레코드의 홈과 같은 것을 새겨놓고 그 홈을 따라 움직이게 되는 것이다.

그렇지만 마음의 이 홈은 일단 생기게 되면 그대로 변하지 않는다는 것은 아니다. 당신은 좋아하는 대로 새로운 홈을 팔 수 있다. 왜냐하면 당신은 자유로운 의지를 가지고, 자유롭게 선택할 수 있는 생물이며, 당신의 잠재의식은 당신의 의식에 오르는 욕구와 결의에 의하여 항상 지배되고 지령되기 때문이다.

당신의 잠재의식은 과거의 체험이나, 교육이나, 반성에서 오는 지식의 커다란 저수조(貯水槽)이다. 그리고 또 당신의 직감이나, 초감각적인 힘이 흡수하는 지식도 보유한다.

그 이유는 당신의 잠재의식의 일부는 뒤에 서술하게 되는 라인 박사의 실험이 보여 주는 바와 같이, 시간이나 공간에도 제약되지 않기 때문이다. 그것은 에너지의 발전소이다. 그 능력은 무한하다. 당신 주위에서 우주의 구석구석까지 발신하고, 당신의 현재의식으로써는 포착되지 않는 것도 지각한다.

잠재의식이 어째서 이와 같은 역할을 하는가는 아무도 알지 못한다. 그렇지만 과학자들은 당신이 사실상 온 우주와 접촉할 수 있을 만큼 강력한 송수신도라는 수많은 실증을 잡고 있다. 당신은 송수신하고 싶어 하는 사람이나 물건에 거의 연락할 수 있다.

물론 그러한 고도의 능력은 우리들 중에 비교적 소수의 사람만이 가지고 있다. 그러한 사람은 의식을 활용하여 과거, 현재, 미래의 어느 것에 걸쳐서도 능히 교신할 수 있다. 언젠가는 우리들 일반인도 그러한 일이 가능하게 될 것이다.

육체는 사고의 거울이다

잠재의식은 당신의 일부이지만 결코 잠잘 줄을 모른다. 만일의 경우 잠재의식이 그 작용을 중지하면 당신의 육체의 기능은 정지한다. 그 이유는 잠재의식은 당신의 심장을 고동치게 하고, 폐를 호흡하게 하고, 당신이 무엇을 먹든 위로 하여금 소화하게 하는(때로는 무척 심한 것을 거두어들인다.) 기적적인 작용을 가지고 있기 때문이다. 오감의 기능을 포함하여 당신의 몸 안의 기관은 모두 잠재의식에 의해 규제되고 있다.

잠재의식이라는 일련의 기계적 조직 속으로 조각돌(불안이나 번민)을 던져 넣어 그 운전을 방해하지 않는 한 당신의 심장은 쉬는 일이 없으며, 폐는 혼자서 호흡하고, 위는 모르는 사이에 음식물을 소화시키고 있다. 그러나 어떤 이유로 흥분하여 몸이 긴장하면 심장은 동계(動悸)를 일으키고, 호흡은 절박해지고, 위에는 응어리가 지며, 식욕이 없어지게 된다. 그렇기 때문에 온갖 질병을 부르는 것이다.

이것은 당신의 생각을 본시의 정상으로 되돌려 잠재의식으로 하여금 몸을 보살피게 하는 당신에 대한 경고이다. 당신이 잠재의식에 대하여 자기는 형편이 좋지 못하다고 전하면 잠재의식은 같은 일을 몸에 전하는 구실을 한다. 왜냐 하면 당신의 몸—결국 당신이 사는 집—은 당신이 하고 있는 생각의 한 반영으로밖에 되지 않기 때문이다. 슬프기 때문에 우는 것이 아니라 울기 때문에 슬픈 것이다. 당신의 말과 생각은 정직하게 잠재의식을 자극한다. '아, 기분 나쁘다.'하면 잠재의식은 메아리처럼 '아, 기분 나쁘다.'를 흉내 낸다.

당신은 잘 때, 잠재의식에게 어떤 문제를 일로써 주어 작용시켜 보기로 한다. 그리고 당신의 몸 안의 높은 지성이 이 문제를 반드시 해결하게 되고, 또 해결한다는 신념을 갖는다. 그대로 잊고 있다 하더라도 다음날 아침 그 문제의 해답이나 해결 방법을 얻어 눈을 뜨게 될 것이다.

> 당신이 잠재의식에게 많은 일을 시키면 시킬수록 잠재의식은 당신에게 협력해 준다.

그것은 당신의 인생에 있어서 가장 도움이 되는 충실한 동조자이다. 당신이 산더미와 같은 일을 갖고 있더라도, 아무리 어려운 문제를 안고 있더라도, 또 아무리 많은 욕구나 목표를 한꺼번에 쌓아 두고 있더라도, 잠재의식이라는 동조자는 조금도 불평을 하지 않는다. 잠재의식은 당신이 제약적인 생각을 가지고 강압적으로 구속하지 않는 한 그 작용에 한계를 두지 않는다. 이와 같은 사실을 단단히 당신의 마음에 간직해 두어라.

이 놀라운 힘을 가진 잠재의식은 자석과 같은 힘을 가지고

있다. 즉 잠재의식에게 당신의 원하는 것의 영상을 명확히 그
리면 그 순간부터 당신의 주변을 자장화(磁場化)하는 것이다.
그리고 당신이 필요로 하는 모든 것의, 심지어는 당신이 만나
고 싶어 하는 사람, 또는 욕구 달성을 도와 줄 사람까지도 끌
어들인다. 그러한 모든 일은 무척 자연스럽게 행해진다. 그렇
기 때문에 잠재의식이 당신을 위해 이렇게 해 준다고는 알아
차리지 못하는 수도 있다. 잠재의식은 그 가지고 있는 모든
힘을 모아 목적물에 집중한다.

만일 당신이 잠재의식을 바르게 지도하여 당신의 내부에
있는 힘의 신비적인 작용에 절대적인 신념을 두면 당신은 결
코 실패하지 않는다. 당신의 잠재의식의 가장 신비적인 작용
을 과학은 '초감각적 능력'이라 부른다.

초감각적 인식력

듀우크 대학의 J. B. 라인 박사와 그 연구자들이 이미 행했
고, 또 현재도 계속하고 있는 초심리학(超心理學)의 세밀한
실험을 당신은 아마 듣고 있을 것이다. 그 개략을 알아 두면
좋을 것으로 생각한다.

라인 박사는, '인간은 육체로부터 멀리 떨어진 곳에서 벌어
지는 상황을 인식하거나 전달하는 정신 능력이 있다. 더구나
놀라운 사실은 스스로 의식하거나 무의식하거나를 가리지 않
는다.'라는 것을 실증해 보였다. 그는 임의대로 만든 카드를
써서 이 실증을 시작했다. 카드에는 굵은 획의 검은 글자로
+자, 원(○), 사각(□), 별(☆), 파상선(∤)의 도합 다섯 종류

의 부호를 썼다. 피실험자들은 각기 다른 방이나 건물에 있으면서 그 부호들을 발신 또는 수신했다. 그 결과 역시 반응은 거의 정확했다. 라인 박사가 ☆을 발신하면 피실험자는 ☆을 수신했다. 피실험자가 +자를 발신하면 라인 박사는 그것을 수신했다. 나중에 그것을 확인해 보니 무려 99%의 적중률을 보였다. 또 다른 실험에선 겹쳐서 쌓여진 한 조(組)의 카드에 마음을 집중하고, 그 부호를 위로부터 차례로 알아 맞추게 했다. 그 순서는 미리 알지 못하도록 기밀이 확보되어진다. 또 다른 사람들은 이 카드들이 장래에 쌓이게 될 경우 어떤 순서로 쌓이게 될 것인가의 인상을 기록하도록 지시되었다. 그것은 사람의 정신이란 것이 장래 일어날 어떤 사건을 과연 예측할 수 있는지의 여부를 실증하기 위해서다.

이 실험은 처음부터 예상되는 모든 의식적 또는 무의식적인 속임수나 오류의 원인이 되는 것과 같은 암시 또는 물리적 인과의 연쇄가 끼어들지 않도록 세심한 주의를 기울였다. 그런데도 놀라운 적중률을 보이는 것을 우연의 결과라고 할 수 있을까?

정신에 이와 같은 높은 힘이 존재한다는 사실은 이제 의문을 품을 여지가 없다. 또 동물이나, 식물이나, 무생물에 미치는 정신의 힘도 실증되었다.

충분히 실증도 되고 확인도 된 남자, 여자, 어린이들의 실험은 수없이 있다. 그것들은 텔레파시(精神感應), 클레아보이언스(透視), 프리머니션(豫知) 등에 대해서였다. 자고 있을 때

말은 행위 그것이다. 자기 자신이 실제로 느끼지 않는 것은 결코 입에 내지 말라. 그리고 허위로써 그대의 마음을 어둡게 하지 말라.

와 깨어 있을 때를 불문하고 그것들은 마음의 영상이라든지, 강한 감정이라든지, 무언가 알게 되었다는 강한 감동으로써 인상되어진 것이었다. 친구, 사랑하는 사람, 혹은 전연 알지 못하는 사람의 일신상의 '변화'이며, 더구나 실험자로부터 멀리 떨어진 곳에서 일어나거나, 아니면 장래 언젠가 일어난다는 것을 잘 감지할 수 있었다는 뜻이다. 어느 완전한 조건 밑에 두고 감수성과 주의력을 집중한다면 시간이나 공간을 초월하여 다른 사람의 정신과 자유롭게 교신할 수 있다.

당신도 그 마음의 힘을 기를 수 있다

당신의 잠재의식과 그 힘이 시간과 공간에 제약되지 않는다는 사실을 나는 이미 서술했다. 당신이 자기의 마음이나 감정을 제어하는 방법을 습득하면 당신은 정신감응의 발신도, 수신도 할 수 있게 된다.

당신이 만일 텔레파시의 실험을 시도하고 싶으면 표본으로 삼아야 할 하나의 전형적인 형식이 여기 있다. 수많은 사람들은 이것을 시도해 보고, 그 받은 감응이 올바른 것이었다는 놀라움을 전해 오고 있다.

먼저 첫째로 당신의 몸을 머리끝에서부터 발끝까지 이완하고 의식을 완전히 잠들게 한다. 이것은 원래 어려운 일이긴 하지만 연습에 의하여 터득할 수 있다. 그리고 나서 당신의 의식을 완전히 수동상태(受動狀態)로 하고(모든 사고를 버린다) 당신의 마음 속을 본다. 말하자면 당신의 물리적인 시선을 내부로 향하게 하고 내가 말하는 '마음의 영상용 스크린'의 초점에 집중한다. 이것은 의식의 심오한 내부에 펼쳐진 어떤 상상상(想像上)의 하얀 스크린으로 그 위에 텔레비전의 원리에 따라 외부로부터 와서 마음을 강하게 두들기는 영상의 섬광을 비추어 낸다.

나는 이렇게 확신하고 있다. 거의 모든 사람이 이와 같은 고도의 감응력을 똑같이 가지고 있다. 그러나 인식과 개발에 대한 이해부족으로 발달하지 못했다. 이 힘을 발달시키는 비결은 '믿음'이다. 철석같이 그 힘을 강력하게 신뢰하는 것이 최상의 방법이다. 만일 이러한 힘이 우리에게 봉사할 것으로 인정하고 거기에 강한 신념을 가지면 이 힘은 우리를 위해 작용하기 시작한다. 의념(疑念)이나 불신은 몸 안에 있는 창조력의 활동을 어떻게든 방해한다. 그리고 한 번 받아들인 의념이나 불신의 힘은 대단히 강하다. 이러한 초감각 능력은 모두 똑같은 위대한 힘의 일부이기 때문이다.

당신이 뜻하지 않게 설명하기 어려운 자극이나 충동에 쫓겨 그것에 의하여 무언가 하고 싶다든지, 하고 싶지 않다든지 하는 느낌을 받을 때가 있을 것이다. 그것이 곧 당신의 직감이다. 그러한 초감각적인 지각은 당신에게 무언가 계시를 전하려 하고 있다.

장래 언젠가는 당신의 주변에 일어나는 사건에 대하여 무언가 감응이나 마음의 영상의 섬광을 느끼는 일이 있을 것이다. 만일 이와 같은 예고적인 감응에 진정한 것이라는 강한 확신을 갖게 되면, 당신의 의식이 그것을 부정해 버리지 않도록 소중하게 기르면 된다. 인간은 그 장래나 운명을 창조하는 힘을 대체적으로 가지고 있다고 나는 확신하고 있다. 고상한

마음의 힘인 직감능력을 길러 그에 의존하는 것은 권장할 만
하다. 올바른 제육감(第六感)이나 예언 등을 믿고 그에 따르
기만 하면 그만큼 불행한 사건을 피하고 좋은 사건을 불러들
일 수 있는 것이다.

　나는 오랜 세월 그러한 일에 노력을 기울여 그 능력을 익
혔다. 그리고 대부분의 사람들도 한두 번의 정신감응의 체험
을 가지고 있을 것이다. 다음의 재미있는 실례는 캘리포니아
주 라조라에 사는 J. R. 허치슨 부인의 체험이다.

　"제 딸이 네 살 때의 일이었습니다. 저는 어느 날 밤, 파티
에 초대되어 조그마한 일본제 양산을 선물로 받았습니다. 저
는 이 양산을 딸에게 가져다 주겠다고 말했습니다. 그러자 파
티에 참석했던 사람들 모두가 '딸을 위해서'라고 말하며 각자
가 받은 양산까지 저에게 주었습니다. 집으로 가져오자 딸은
기뻐 어쩔 줄 모르며 오랫동안 양산을 가지고 놀았습니다. 저
는 양산을 노래한 예쁜 노래를 발견하고 딸과 함께 곧잘 불
렀었습니다만, 오랜 세월이 흘러 가사도, 곡도 완전히 잊고
생각이 전혀 나지 않았습니다.

　그런데 금년 6월 10일 아침, 잠이 깨자 마음에 희미하게 남
아 있던 노래의 곡을 문득 생각해냈습니다. 그것을 흥얼거리
고 있자 이어서 가사는 차례차례로 마음에 떠올라 두 시간
뒤에는 곡과 가사의 기억을 완전히 되살려 냈습니다. 남편은
바깥에서 정원을 가꾸고 있었기 때문에 곁에 가까이 가서
<어여쁜 조그만 양산>의 노래를 들려 주고, 왜 이날 아침 갑
자기 이런 노래를 생각해 냈을까 하고 대화를 나눴습니다. 그

것뿐, 그 일을 저는 깨끗이 잊고 있었습니다.

6월 18일, 우편함에 멕시코로부터 편지가 와 있었습니다. 그 속에는 무언가 두터운 것이 들어 있었습니다. 뜯어 보니 놀랍게도 조그마한 종이 양산과 그리고 제 딸의 흘려 쓴 필적이 있었습니다.

'어머님께서 어른들의 파티에 가셔서 일본 양산을 가져다 주셨던 소녀의 추억'이라고 씌어 있었습니다.

편지에는 날인도 없고, 봉투의 스탬프도 퇴색되어 있어서 정확한 날짜는 알 수 없었습니다만, 그 이전에는 이 아름다운 노래를 생각해 낸 일도 없었으며, 조그만 양산을 깊이 생각한 일도 없었습니다. 그런데 숱한 세월이 지난 다음, 딸이 저의 추억에 감응한 것인지, 제가 딸의 추억에 감응한 것인지, 어느 쪽인지 알 수 없지만 그런 사건이 생겼던 것입니다. 이것이 우연의 일치라곤 도저히 생각되지 않습니다."

물론 그것은 우연의 일치일 리가 없다. 정신이 정신에 감응한 것이다. 특히 친구라든지 사랑하는 사람들 사이에서는 우리가 의식적으로 깨닫는 이상으로 훨씬 많이 일어난다.

이러한 힘을 발전시켜 하루하루의 생활에 이용하는 방법을 배우는 것은 당신의 훌륭한 작업이다.

당신의 제육감, 예감, 당신에게 오는 인상, 그러한 것으로부터 받는 지시에 따르는 습관을 들이라. 만일 당신이 이 고도의 훌륭한 힘을 믿고 당신에게 유효하게 작용한다는 신념을 가진다면 이 힘은 틀림없이 작용한다. 그리고 한 번이라도 이 장(章)에 든 것과 같은 경험을 당신이 맛본다면 바로 당신의 의문은 없어질 것이다.

당신도 병을 낫게 할 수 있다

가장 강한 무기는 살려는 의지이다.
이 큰 무기를 계속 작동하도록 하라.

　세상에서 성공과 행복을 얻기 위해서는 건강하지 않으면
안 된다. 정력적인 마음은 자연히 활력이 넘치는 육체를 필요
로 한다. 병을 앓고 있거나, 어딘가에 결함이 있는 몸을 질질
끌며 걷는 것은 스스로 핸디캡을 안고 일하는 것과 같다. 예
를 들자면, 그릇된 생각이나 쓸데없는 감정적 반응을 스스로
걸머지고 일부러 병을 만들고 있는 사람이 많다.

　당신 자신을 잘 조사해 보라! 만일 당신이 다른 사람들처
럼 건강하지 못하다면, 그러한 불완전한 건강 상태를 만들어
내기 위해 당신은 대체 어떤 일을 해왔을까? 불안, 번민, 증
오, 원한 등이 당신의 몸 안에서 자유 분망하고 난폭하게 굴
도록 맡겨 두어 육체를 정신과 혼란시켜왔음이 틀림없다.

　이 세상에 우연이라는 것은 없다. 대수로운 의미도 없는 어

떤 사소한 사건의 이면에도 원인은 반드시 있다. 만일 어떤 마음가짐을 오래도록 지속하면 그것이 몸에 반영된다는 것은 명확히 증명된 사실이다. 번민이나 걱정이 당신의 소화 작용을 둔하게 하고, 심장의 동계를 빠르게 하는 원인이 되기도 하고, 호흡곤란이나 신경성발한(神經性發汗)을 안겨 주는 것은 당신도 익히 알고 있을 것이다.

무언가 갑자기 깜짝 놀라는 일이 있어도 그와 같은 결과가 일어난다. 그러므로 당신의 사고방식이나 느낌은 당신의 건강과 아무런 관계도 없다는 생각은 금물이다.

그래서 다음은 극히 중대하다. 즉 그릇된 사고방식에 의하여 당신을 병들게 하는 힘이 있다면, 반대로 바른 사고방식에 의하여 당신의 병을 고치고 본시의 건강으로 회복시킬 수 있음이 분명하다.

인간의 의지나 창조하는 힘이 만병통치의 약이라고 말하고 있는 것은 아니다. 그렇지만 올바른 마음가짐이 어떤 사람에게도 좋은 효과를 미치고 있음을 나는 확실히 알고 있다. 당신은 혹시 프랑스 사람인 에밀 쿠에 박사를 알고 있을까?

그는 세상 사람에게 만일 누구나 자신이 권하는 방법을 이용하면 스스로 자기의 병을 낫게 할 수 있다고 주장했었다. 그의 방법이란 극히 간단한 것이었다. 어떻게 하느냐 하면 '날마다 나는 점점 낫는다, 낫게 된다.'고 되풀이하고 되풀이하여 자기에게 들려 주기만 하면 된다고 했다.

수많은 사람들은 쿠에 박사를 비웃었다. 너무나도 그 방법이 간단했기 때문에 박사를 '바보'라고 했다. 그러나 그의 생각은 조금도 새로운 것이 아니었다. 내가 여기에 서술하고 있는 것과 조금도 다름이 없다. 반복하여 되풀이하는 것이다. 즉 스스로의 소중한 소망을 끊임없이 마음의 정상에 두는 것이다. 그런 식으로 적극적으로 생각된 것은 곧바로 잠재의식, 즉 몸 안에 있는 창조하는 힘에 차례차례로 보내지게 된다.

건강과 부와 행복을 생각하라. 그것은 이윽고 당신의 것이 된다. 그렇게 되지 않을 수 없다.

쓸데없는 일에 눈을 팔지 말고 그러한 사고방식에 달라붙어야 한다.

"정말 그렇게 될까? 설마 그런 일이 있을라구…… 그렇지만 그리 힘든 일은 아니니까 한 번 떠들어 보자."

이렇게 생각하고 암시를 하는 사람이 많다. 이런 사고방식은 믿음보다 부정이 더 강하다.

건강하지 못한 원인, 즉 그릇된 사고방식이나 습관, 그리고 행동을 조금도 바꾸지 않고 그저 말만으로 '날마다 모든 점에서 나는 향상하고 있다.'라고 해서는 효과가 있을 리 만무하다.

당신의 마음 속에 그릇된 생각이 가득 차서 더구나 '바른 생각을 갖는' 일도 없이 어떻게 소망이 달성될 수 있을까?

끊임없이 가슴이 아프다든지, 머리가 아프다든지, 위가 아프다, 그 밖에 갖가지로 아픔을 호소하고 사는 사람이 있다. 그것은 입버릇으로 콧노래와 같은 것이다. 그렇지만 스스로도 곧 알 수 있는 것은 그러한 한탄을 되풀이하는 동안에 반복에 의하여 그 아픔이 참으로 일어나고, 또 격렬하게 되어간다.

만일 당신에게 그런 아픔이나 고통이 있다 하더라도 그것은 대수롭지 않다. 단순한 신경의 장난이거나 무언가 마음의 과장된 반작용이라고 생각할 수 있다면……

당신의 번민이나 곤경을 사람들에게 이야기하는 것도 의미가 없다. 그런 일은 당신을 더욱 괴롭히고 다른 사람들을 난처하게 할 뿐이다.

그들도 사람들에게 호소하고 싶다. 그들 자신의 번민이나 괴로움을 갖고 있다. 당신이 먼저 당신의 고민을 입 밖에 내놓은 것은 상대방에게 펀치를 넣는 것과 같은 것이다. 그렇기 때문에 그들의 기분은 우울해진다.

그것은 참으로 강한 위력을 가진 펀치다. 자기가 휘두른 펀치에 자기가 맞아 휘청거리게 되는 그런 펀치다. 원래 뭔가 기분이 좋지 않은 일을 계속 말하면 그것은 틀림없이 명치에 맞는 펀치의 위력만큼이나 효과가 있다. 줄곧 당신의 병을 걱정하고 있으면 병은 점점 더 악화되어 그것을 시멘트처럼 굳어져 버리게 하고 있는 것이다.

건강과 활력을 유지하고 싶다면 소극적인 상태에서 벗어나 긍정적 형태의 인간으로 전환해야만 한다. 그리고 그것에 강한 확신을 갖고 있어야 한다. 그렇게 하면 먼저 깨닫게 되는 것은 당신의 아픔도, 번민도, 어려운 문제도, 다 사라져 버린다.

다음은 옛날부터 전해 오는 말이다. 이 말을 몇 번이고 읽어보길 바란다.

> 만일 네가 외부의 것에 의하여 아픔을 느낀다면 이 아픔은 너를 해치는 그것 자체의 탓이 아니라, 그것을 대

하는 너 자신의 느낌 탓이다. 그 느낌을 지금 곧 제거하는 것은 모두 네 힘에 달려 있다. 그러나 만일 네 기질 중에 무언가 너에게 고통을 주는 것이 있다면 네가 그 기질을 개량하는 데 누가 방해하려 하겠는가?

애정이 갖는 치유력

하버드 대학의 과학자들은 피틸림 A. 소로킹 박사의 지도로 꽤 진기한 실험을 하고 있다. 사랑의 힘을 연구하고 있는 것이다. 애정이 병에 대하여 약보다도 더 큰 힘을 갖는다는 사실을 그들은 이미 발견했다. 이 사랑이라는 감정을 알맞게 복용하면 마음이 평정하게 되는 것은 물론이고, 오래 살 수 있으며, 건강도 좋게 되고 행복하게도 된다.

노인이나 젊은이도 이것을 한 번 복용하면, 당장 다른 사람처럼 된다. 예를 들면 당신이 어떤 사람을 증오하여 마음에 혐오의 불길을 태우고 있을 때, 결단을 내려 그 사람을 사랑하기 시작해 보라. 그리고 어떤 일이 일어나는지를 시험해 보라. 한 사람의 적 대신 한 사람의 친구를 갖게 되고 위궤양은 곧 나아 버린다.

인간이란 모욕을 당하게 되면 결코 잊지 않는다. 그렇지만 친절을 받으면 도리어 쉽게 잊고 만다. 유(類)는 유를 부르기 때문에 당신은 애정이나 친절을 남에게 주고, 애정이나 친절을 다시 자기에게로 되돌아오게 하는 것이 현명하다고 생각하지 않는가?

당신은 사람들이 흔히 이렇게 말하는 것을 들었을 것이다.

"내 평생을 두고라도 저 친구에게 보복해 주겠다."

이런 원한을 품는 것은 그 증오를 받는 사람이 잃는 것보다도 증오하는 사람이 잃는 것이 더 크다.

사람은 누구나 사랑을 받고 싶어 한다. 개도 그렇다. 그리고 사랑하는 사람은 누구나 스스로 흐뭇해 한다. 개를 사랑해도 그렇다. 사랑하고 사랑을 받으면 기분이 좋아진다. 만일 당신이 애정은 그런 위대한 창조적인 생명력의 것이 아니라고 생각한다면, 당신 주위의 사랑에 굶주린 남녀를 보라.

어느 과학자들은 몇 가지 식물을 두 무리로 나누어서 한쪽은 애정을 기울이고, 다른 한쪽은 증오하며 재배해 보았다. 그러자 애정을 기울인 무리의 식물은 무럭무럭 잘 자라가고, 다른 저주받은 식물은 같은 상태에 있어 똑같이 물을 받으면서도 점점 가냘퍼지고, 드디어 시들어 버리고 말았다.

예로부터 '사람을 죽도록 사랑할 수 있다.'고 말해지고 있는데, 나는 언제나 증오보다 사랑하는 편에 인생의 희망을 건다. 만일 당신이 건강하게 되고, 또 항상 건강하고 싶다면 당신의 일상생활에서부터 증오를 제거하지 않으면 안 된다.

당신의 마음은 병을 낫게 한다

당신의 마음 속에는 바르게 지도하면 병을 낫게 할 만한 힘이 있다. 나는 자신의 그릇된 생각 때문에 일어난 여러 가지 몸의 장애를 낫게 하는 데 이 힘을 사용해 왔다. 따라서 당신도 이 힘의 사용법을 습득할 수 있다.

로스앤젤레스의 사이언스 오브 마인드 쳐치(마음의 과학 교회)의 이사인 프레드릭 베일즈 박사는 나의 소중한 친구이다.
그는 일요일 아침마다 폭스 월셔 극장에서 치료를 위한 모임
을 연다.

그 묵상하는 시간은 누구나 한 번은 보아 둘 만한 가치가
있다. 가득히 모인 2,500명의 청중은 의자에 앉아 쥐 죽은 듯
이 침묵하고 신에게서 받은 창조하는 힘, 즉 내부에 있는 '그
것'을 끌어낸다. 너나 할 것 없이 몸의 어떠한 고장이나 병을
치료하고 싶으면, 그와 같은 병고가 이미 나은 것으로 생각하
고, 그 그림을 마음에 그려 조용히 생각하는 것이다. 효과도
항상 경이적이다. 왜냐 하면 베일즈 박사는 자기의 주장을 스
스로 실천한 사람이기 때문이다. 그는 자기를 치료했으므로
다른 사람들이 스스로 치료하려면 어떻게 하면 좋은가를 익
히 알고 있다는 뜻이다.

그의 요법을 독자 여러분에게도 공개하겠다. 당신도 이와
같은 방법을 그 증상에 따라 행하면 놀라운 효과를 보게 된
다. 다음은 박사 자신의 체험기다.

"나는 런던의 미셔너리 의과대학을 나와 남미의 볼리비아
에 의학 선교사로서 부임할 예정이었습니다. 그런데 졸업 1개
월 전 병에 걸렸습니다. 검진해 보니 당뇨병으로 진단되었는
데, 당뇨병은 특히 청년에게는 거의 치명적이라고 들었습니
다. 하아레 가(街)의 명의(名醫)들도 나의 수명은 기껏해야 1
년이나 2년이라고 선언했습니다.

의학 공부에 몰두하고 있던 나였기 때문에 병 치료를 위해
당연히 의학적인 방법을 활용할 참이었습니다. 그렇지만 그

당시는 인슐린의 발명이 되기 5년 전의 일이어서 이와 같은 병에 듣는 약품은 아직 하나도 없었습니다.

병원에서 두 의사는 정신과 육체관계의 연구를 착수했고, 나도 그 일을 돕고 있었습니다. 우리는 외래 환자에게 얼핏 보기에는 약 같지만 실은 전연 약물이 들어가 있지 않은 정제(錠劑)를 투약하고 실험했습니다. 놀랍게도 이 위조 정제는 진짜약과 다름없이 듣는다는 사실을 발견했습니다. 예를 들면, 환자에게 '매일 세 알씩 1주일 동안 복용하십시오.'하고 일러 둡니다. 그러나 약국에 명하여 5일분의 약만을 주기로 하고, 그 열다섯 알을 모두 위조 정제로 해둡니다. 그러면 환자들은 그 다음에 병원에 오면 한결같이 말합니다. '선생님, 저는 목요일까지는 무척 기분이 좋았습니다만, 그 후 약이 떨어져 나머지 이틀 동안은 고생이 대단했습니다.'

환자들은 가짜 약을 복용할 때는 고통을 느끼지 않았지만, 약을 복용하지 못하면서부터는 고통을 느끼기 시작했던 것입니다. 또 최면술을 받은 환자들이 모르핀을 사용하지 않고도 심한 통증을 태연하게 아무런 고통도 느끼지 않고 견디는 것을 여러 번 보았습니다. 그래서 무언가 틀림없이 정신적인 방법을 쓰면 나도 들을 것이라는 결론을 내렸습니다.

우리들의 몸에는 몇 백만이라는 새로운 세포가 각일각(刻一刻)으로 증식되고 있습니다. 그들 세포는 건강한 것과 병적인 것의 어느 쪽의 생각에 지배되어 있습니다. 나는 새로운 세포가 생겨날 때, 그 하나하나에 건강한 올바른 구조를 갖고 바른 행동이나 기능을 하고 있다고 생각하기 시작했습니다. 말하자면 새롭게 증식되는 좋은 세포가 기존에 있던 다른 세포와의 상호 협력이나 원조를 기꺼이 하도록 명령했던 것입니다.

사람들은 이렇게 반문할지도 모릅니다. '당신은 참으로 췌장이 당신의 말을 듣는다고 믿습니까?'라고. 물론 그렇게 생각하고 있지는 않았습니다. 그러나 이런 꿈과 같은 구상이 훌륭하게 무언가 영향을 준 것만은 분명합니다. 나는 형이상(形而上)에 대해서는 문외한으로 마음의 사이언스는 전혀 아무 것도 알지 못했습니다. 이 새로운 정신적 세계에 나는 로빈슨 크루소처럼 외톨이였습니다. 따라서 내가 생각하는 최선의 방법은 병의 근원이 되고 있는 세포에 대항하는 무엇인가를 만들어낸다는 것뿐이었습니다.

내가 확신한 단 하나의 사실은 마음의 그림은 육체에 무언가 명확한 변화를 준다는 사실뿐이었습니다. 이 사실을 나는 병원에서 목격했습니다. 나는 새로운 세포 하나하나가 내가 새로 착상한 것으로부터의 감명을 틀림없이 받아들일 것으로 굳게 믿고 있었으므로 내가 육체에 들려 준 말에 나 스스로가 믿는 모든 것을 주입했습니다.

병원의 실험에서는 사상이나 신념이 육체에 영향을 줄 때에는 중대한 병에도 효과가 있음을 실증했습니다. 그러나 내가 아는 한 당뇨병과 같은 난치병을 치유한 사람은 없었습니다. 하지만 죽기보다는·어떻게 달리 방법이 없다면 절망적인 상태에서는 짚이라도 붙잡는다는 뜻입니다.

나는 이 우주에 있어서는 모두 이성의 작용이 선행되지 않고 존재하는 것은 하나도 없다는 사실을 알고 있었습니다. 행동에는 마음의 작용이 선행합니다. 진즈의 말에 의하면 우주는 '수학적 사색가의 사고가 엄정한 모양으로 요약된 것'입니다. 사람과 그 몸과의 관계는 마치 영원한 사색가와 우주와의 관계로, 우주는 그 사색가 개인의 생각이 개화하여 나타난 것입니다. 그러므로 모든 사상은 창조하는 힘을 갖는 것이므로, 창조된 것의 성질이나 모양은 그 사상의 성질이나 모양과 비교하면 완전히 같은 것입니다. 이 창조의 과정을 그런 식으로 상상하는 것은 참으로 건전한 이치에 맞는 논리적인 방법이라고 믿었습니다.

거의 석 달 동안은 아무런 변화도 없었습니다만, 끈질기게 계속했습니다. 그리고 나서 1주일이 지나자 연구소의 테스트에서 당분이 약간 감소되었다는 사실을 알게 되었습니다. 다음 주에는 더욱 줄었습니다. 불행히도 일기를 기록하지 않았기 때문에 이 기간에 대해서는 정확하다고는 할 수 없을지도 모르겠습니다만, 내 기억으로는 이 몇 주 동안도 계속 당분은 감소되어 갔습니다.

그런데 아무런 이유도 없이 당분은 다시 늘어갔습니다. 무척 실망했습니다만, 역시 내 방법을 계속하고 있자 당분은 다시 줄었습니다. 이 반복적인 증감은 거의 6년 동안 계속되었습니다. 그 동안 나는 병세의 일진일퇴(一進一退)를 익히 알수 있는 것처럼 차츰 파악할 수 있을 듯한 느낌이 들었습니다.

나로 하여금 용기를 잃지 않게 한 것은 당분의 검출량이 언제나 정해져 있어 맨 처음의 상태만큼은 이르지 않는다는 사실이었습니다. 드디어 뇨 분석표는 백분율로는 나타낼 수 없을 만큼 미미하게 되었습니다. 그 때 연구실의 보고는 단순히 '당(糖)의 흔적 있음.'이라고 기록되어 있을 뿐이었습니다.

그러나 이 흔적은 완강하게 8개월 동안 계속되었습니다. 그러다가 끝내는 '당분 없음.'이라고 기록되게끔 되었습니다.

이날은 아마 나의 생애에 가장 행복한 날이었을 겁니다. 그러나 재발을 방지하는 뜻에서 그 후 몇 개월 동안은 식사에 탄수화물(炭水化物)은 피했습니다.

드디어 나는 내 몸에 당뇨병은 없다고 차츰 확신을 갖게 되었습니다. 그리고 그 무렵까지 나 자신의 신념에 결정적인 힘을 주입하는 방법을 터득했습니다. 이에 따라 두 번 다시 이런 어려운 상태에 빠지는 일은 없을 것이라는 확신을 갖게 되었습니다.

그 이래 30년에 걸쳐 먹고 싶은 당분이나 전분류(澱粉類)를 거침없이 먹어왔습니다. 인슐린 같은 것은 한 방울도 사용한 적이 없습니다. 나의 정력도, 생명력도 동년배(同年輩)의 사람들보다 대체적으로 강하다고 자부합니다. 나를 죽음의 그림자로부터 구해 준 이 창조하는 힘의 원리를 많은 사람들에게 설명하는 것은 그 이래로 무상의 기쁨이었습니다."

이 체험기는 당신에게 뭔가 짜르르한 전류를 통하게 하지 않을까? 이와 같은 창조하는 힘은 지금 이 순간에도 당신의 몸 안에 잠적해 있다. 그리고 베일즈 박사의 의식 속의 창조하는 힘이 박사에게 공헌한 것과 같이 당신의 욕구를 기다리고 당신에게 도움이 되려고 기다리고 있다. 당신에게 필요한 것은 이 힘을 사용할 마음을 일으키는 것, 이 힘을 끌어낼 것, 그것에 지령할 것, 동시에 의지, 결의, 인내, 마음의 영상,

그리고 신념을 이용하는 것이다.

믿으면 그렇게 된다

베일즈 박사는 어떤 방법으로 행했는가를 기술한 내용을 몇 번이고, 몇 번이고 거듭 읽으라. 당신 스스로 어떻게 하면 이것을 실용할 수 있는가를 마음으로 생각하면서 읽으라.

그러나 이러한 중요한 일을 경솔하게 해서는 안 된다. '갓난아기는 걷기 전에 긴다.'는 사실을 당신도 알고 있을 것이다. 이 조그마한 영구불변의 진리를 잊지 않도록 하는 게 좋다. 만일 당신에게 당뇨병이 있다면, 헤엄은 치지 못하면서 깊은 곳으로 뛰어드는 것과 같은 어리석은 일을 해서는 안 된다. 먼저 마음을 정리하는 일부터 시작하라. 불안이나, 번민이나, 모든 감정의 혼란을 제거하라. 그리고 신이 준 이 창조하는 힘, 치유력을 먼저 끌어내야 한다.

먼저 작은 일을 시험해 보라. 먼저 행복하고 즐거운 확신 있는 마음의 태도를 굳혀 가면, 그것이 몸에 어떻게 나타나는가를 관찰하지 않으면 안 된다. 그것을 행함에 따라 당신은 반드시 정상적 건강으로 돌아갈 수 있다. 그리고 베일즈 박사가 자기의 몸으로 실증할 수 있었던 것처럼, 당신에게도 그 힘이 생기고 당신의 생애에 치유력을 사용할 수 있게 될 것이다.

당신의 각성, 당신의 진보를 의사에게 상담하면서 검토하라. 지금의 의사는 모두 바른 마음가짐이 육체의 회복에 얼마나 크게 도움이 되는가를 인정하고 있다. 신념의 감추어진 힘을 의사도 알고 있다. 불안과 번민이라는 두 흉악범을 없애 버리면 거의 병이 치유된 것과 다름없다고 그들도 알고 있다.

결코 희망을 버리지 마라. 만일의 경우 의사가 당신에게 죽음을 선언한다면, 그 때야말로 당신의 신념과 당신의 몸 안의 신이 하사한 치유력에 전면적으로 매달리지 않으면 안 된다. 그 때야말로 바른 사고방식을 가지고 당신의 몸의 세포에 활력을 불어넣어 치유력을 일으킬 수도 있을 것이다.

그러한 일은 모든 희망이 사라졌다고 생각했던 사람들에게 예전에 몇 차례인지 일어난 일이다. 그들에게 일어난 일은 당신도 역시 할 수 있다.

지금 인류는 몸 안의 치유력을 겨우 깨달았을 정도다. 자기에게 그것을 이용할 뿐 아니라, 다른 사람에게도 응용하고 있다.

그렇다. 지능 있는 생물이라면 어떤 것에도 우리의 감정의 손을 뻗칠 수 있다. 당신은 사랑하는 사람에게는 강한 애정을 쏟는다. 그것과는 다소 내용이 다르지만, 그것에 뒤지지 않는 강한 애정을 개나, 말이나, 고양이나, 기타의 동물에게도 기울일 수 있다.

애정은 대부분 상호적이다. 즉 당신의 사랑을 짐승들도 느낄 수 있으며, 짐승들도 그에 대한 애정을 당신께 보내게 된다. 그 사랑이 놀라운 치유의 힘이다.

개의 놀라운 치유

이 증거로써 내 친구 앤 데이비스의 거의 믿기 어려운, 게

다가 확실한 증거가 있는 이야기를 제공하려 한다. 이것은 '그것', 즉 몸 안에 있는 창조하는 힘을 잘 이해해 활용함으로써 애견 쟈디를 어떤 방법으로 눈 깜짝할 사이에 낫게 하였는가 하는 사실이다.

여기에 서술하는 것은 앤 자신의 이야기이다. 이것은 담당 수의사와 증인 다섯 명의 구술서(其述書)에 의하여 사실임이 보증되고 있다.

"벌써 2년 전의 일입니다. 개의 입 속에 마치 콩알만한 작은 부스럼이 나 있는 것을 나는 발견했습니다. 처음에는 사마귀로 생각하고, 개도 별로 고통스러운 것 같진 않아서 걱정하지 않았습니다. 그러나 신경이 쓰여 때때로 개의 입 속을 조사해 보았습니다. 1년쯤 전에 그 사마귀가 점점 커지고 있는 것을 알았습니다. 사마귀가 눈에 띄게 커지는 것이 걱정이 되어 나는 쟈디를 수의사에게 데려가서 진찰을 받아 봤습니다. 수의사는 개의 입을 조사해 본 끝에 이것은 하나의 종양(腫瘍)이라고 하였습니다. 입 안에 생기는 종양은 꽤 악성이어서 거의가 위험한 발전성을 갖고 있기 때문에 되도록 빨리 수술하는 편이 좋다고 권했습니다.

어쩔 수 없는 사정 때문에 그 당시에는 쟈디를 수의사에게 데려가지 못했습니다. 그 때 종양의 크기는 벌써 엄지손가락 마디의 반 정도나 되는 크기가 되어 있었습니다. 쟈디는 무척 고통스러워했습니다.

쇼트 박사는 커지는 속도가 빠른 데 놀라 곧 수술하는 게 좋다고 말했습니다. 그리고 수술은 토요일 아침 8시로 잡았습니다.

나는 그 전날인 금요일 밤늦게야 잠자리에 들었습니다. 쟈디에게 잘 자라는 인사로 비스켓을 주었는데, 쟈디는 그것을 씹는 데 대단히 고통스러워 했습니다. 그래서 나는 비스켓을 잘게 부숴 주느라 자리에 든 것은 토요일 새벽 2시였습니다. 그리고 평상시와 다름없이 내가 알고 있는 모든 사람에게 그들이 치유되기를 바라는 기도를 드렸습니다. 그 때 나는 돌연 지금까지 쟈디 때문에 한 번도 기도를 드리지 않았던 사실을 깨달았습니다. 그래서 나는 그것을 뉘우치며 쟈디를 위해서도 기도를 올리고 잠들게 되었습니다.

괘종시계가 7시를 쳤을 때 잠에서 깨었습니다. 나는 서둘러 옷을 입고 쟈디를 안고 수의사에게로 갔습니다. 시계를 보니 8시 5분 전이었습니다. 의자에 앉자 수의사가 나오기를 기다리는데 어제 밤의 기도하던 일이 문득 생각나서 쟈디의 입 속을 들여다 봤습니다. 그런데 이게 웬일입니까? 종양이 보이지 않았던 것입니다. 더구나 그것은 내가 겨우 6시간 전에 본 것이었습니다. 나는 다시 한 번 들여다보고 더 세심하게 살펴보았습니다만, 그 흔적도 찾아볼 수 없었습니다.

그 때 수의사도 나타나서 확인해 주었으므로 기뻐서 어쩔 줄 모르며 쟈디를 데리고 집으로 돌아왔습니다. 따라서 나의 귀여운 개의 수술 받는 고통, 혹은 더 두려운 결말을 생략해 준 위대한 생명력에 진심으로 감사하고 있는 참입니다."

이상이 앤의 이야기다. 그리고 나는 앤이 한 모든 이야기를 확인한 R. W. 쇼트 박사의 서명을 받은 구술서를 가지고 있다. 그 밖에 이 치유를 목격한 다섯 사람이 서명한 구술서도 가지고 있다. 이 중 두 사람은 내가 개인적으로 잘 알고 있는 사람인데, 한 사람은 저명한 박사다.

무슨 일이나 불가능하다고 말해서는 안 된다. 정신력에 의한 치유력의 작용은 무한대여서 여러 방면에서 많은 증거가 속속 나타나고 있다.

앤 데이비스의 기도가 개의 의식 속에 있는 창조력을 자극했다는 말로밖에 달리 설명할 도리가 없다. 그러한 사실을 드러내놓고 명쾌하게 설명할 수 없기에 우리들은 '기적'이라는 말을 사용하는 것이다.

이와 같은 사실은 새로운 추론의 제재(題材)를 제공한다. 즉 동물은 단순하기 때문에 어떤 말이라도 절대적으로 믿는다. 다른 가상을 하지 못한다. 따라서 개나 기타 동물은 인간보다도 훨씬 빨리 효과적으로 반응을 나타낼 수 있는 것이 아닐까?

나는 지금까지 말로써 생각하는 것은 아니라고 강조해 왔다. 그 사실을 상기해 주기 바란다. 우리는 마음의 그림으로 생각하는 것이다. 세상 공통의 국어는 감정이다. 왜냐 하면 감정은 말 없이도 통할 수 있기 때문이다. 그것은 초감각적인 것이다.

앤 데이비스가 마음 속에 가지고 있던 영상에 대한 반응으로써 확실히 무언가 결정적인 일이 일어났었다. 만일 그 창조의 법칙을 알고 인간에게도, 다른 동물에게도, 마찬가지로 적용한다면 일단 일어난 일은 몇 번이고, 다시 몇 번이고 일어날 수 있다는 뜻이다.

사실 인간은 모든 형태의 생명체와 관계를 갖고 있는 것으로 나는 믿고 있다. 다만 생명력이 머무는 육체의 모양이 달라 여러 가지로 나뉘어 있을 뿐이라고 생각한다. 이윽고 언젠가는 인간의 지성이 더욱 발달하며, 인간과는 다른 모양의 생명체에도 말에 의해서가 아니라 감정에 의하여 자유로이 의사의 교환을 할 수도 있을 것이라고 생각한다. 누가 미래를 알 수 있겠는가?

사랑의 힘이 창조하는 힘과 결부되어 병을 치유할 수도 있다. 지성은 물질 중에서 또 물질 위에 작용하지만, 그것이 물질은 아니다. 이렇게 설명하는 것이 진실임이 틀림없다. 즉 정신이 본질적인 지배자이며, 정신이 한 번 이렇게 하자고 결의하면 보아 온 대로 물질적인 것은 모두 정신이 명하는 대로 그 형태를 바꾸지 않으면 안 된다. 또다시 자석과 쇠 부스러기의 예를 상기하라. 이 장(章)에는 건강의 금광이 있다. 빨리 그것을 발굴하라.

올바른 암시의 힘

말을 조심하라. 상태가 나쁘다고 말을 계속하면 상태는
더욱 나빠진다. 이것이 바로 암시의 힘이다.

당신은 틀림없이 암시의 위력에 대하여 들은 일이 있을 것
이다. 즉 당신이 어떤 사람에게 안색이 좋지 않아 보인다는
암시를 계속 주면, 그 사람을 병이 나게 하기는 의외로 쉬운
일이다. 만일 일정한 수의 사람들이 그렇게 하기로 공모하면
웬만한 사람은 이에 견디지 못한다. 정말 실제로 병이 생긴
다.

단조롭게, 게다가 집요하게 저지른 죄를 상기하게 함으로써
범인을 자백시키는 일이 가끔 있다. 나는 기자로서 수많은
'강제심문을 하는 법정'에 참석한 일이 있다. 형사나 검사들이
오직 한 사람의 인간을 끈질기게 추궁한다. 그의 얼굴에 땀이
흐르고 신경쇠약이 될 때까지 날카로운 질문 공세를 펴는 것
이다. 그것은 암시의 위력에 의하여 자백하지 않을 수 없는

입장으로 몰아세우는 놀라운 반복, 즉 되풀이다.

뛰어난 세일즈맨은 언제나 이 암시의 위력을 이용한다. 판매는 고객을 당신이 뜻하는 대로 생각하게 함으로써 성립된다. 따라서 당신이 팔려고 하는 물건을 자기 스스로가 좋은 물건이라고 믿지 않으면 다른 사람에게도 그렇게 믿게 할 수 없는 것은 명약관화하다.

그것은 극히 평범한 상식이다. 여러분 중에도 판매에 종사하고 있는 사람이 있겠는데, 그런 사람은 내가 앞에 말한 것을 기억해 두면 좋다.

물건에 대한 당신의 이해와 당신 자신의 선전이 판매를 성공시키는 99%이고, 나머지 1%가 고객과 접촉하는 발의 활동이다.

사람을 당신의 의지에 굴복시키거나, 당신이 바라는 대로 행동시키는 것은 알고 보면 쉽다. 사람을 잘 움직이게 하는 사람들을 유심히 살펴 보면 그 방법이 잘 드러난다.

인디애나 주 마리온 시의 엘머 고윙은 내가 알고 있는 한 가장 우수한 세일즈맨이다. 그는 어떤 것이나 팔 수 있는 수완을 갖고 있다. 제품이건, 어떤 계획이건, 혹은 아이디어이건, 가릴 것 없이 무엇이나 잘 판다.

어느 클럽에서 무언가 사업을 계획하여 시민들의 협조를 얻으려고 하지만 도저히 협조를 얻고 있지 못할 때, 그런 때엔 반드시 누군가가 '엘머를 불러라.'고 말한다. 그러면 사람이 좋아 보이는 소박한 그가 불려온다. 그는 사업 계획을 자상히 들은 다음 물러갈 때는 "그뿐입니까? 더 어려운 일에 불러 주었으면 좋겠는데."라고 말한다.

이렇게 말하고 사라지는 엘머는 몇 시간 후에는 반드시 그 계획을 실현할 후원자를 찾아 가지고 나타난다. 어떻게 해서 후원자를 구했는지는 엘머의 비밀이었다.

어느 날, 청년 상업회의소가 아마추어 예능대회를 개최했다. 티켓은 벌써 인쇄되었으나 그 행사에 대한 선전은 제대로 되어 있지 않았다. 그 때문에 개최 전날 오후 늦게까지도 팔려나간 티켓의 수는 보잘것없었다.

"엘머는 어디 있는가?"

다급해진 청년 상업회의소의 소장이 그를 찾으면서 소리쳤다.

"이 모임을 살려낼 사람은 그 사람밖에 없다. 설사 노력하더라도 이번 일만큼은 궁지를 모면할 것 같지 않다."

암시의 위력

이윽고 엘머가 불려 왔다. 소장은 한 장에 1달러짜리 티켓 뭉치를 그에게 건네 주었다.

"자네는 내일 밤까지 이것을 모두 팔 수 있겠는가?"

엘머는 그 티켓 뭉치를 바라보고 있다가 이윽고 허공을 바라보며 "할 수 있습니다."고 말하면서 다음의 단서를 달았다.

"만일 당신이 내가 있는 곳의 사장과 의논해서 이것을 파는 동안 쉬어도 된다는 승낙만 얻는다면."

엘머를 고용하고 있는 보험회사의 사장은 동의했다. 다음날 오후 4시 50분에 엘머는 그 상공회의소 사무실로 수표와 지폐를 호주머니 가득히 구겨 넣고 들어왔다.

"오늘밤 예능대회는 만원이다."고 말한 그는 싱글거리며 "더 팔려고만 생각하면 팔 수 있었습니다."라고 다시 말했다.

이것이 나로서는 도저히 이해할 수 없었다. 그래서 나는 엘머의 비결을 알고 싶은 생각이 들어 그를 만나러 갔다.

"내일 스펜서 하우스 호텔에서 점심을 같이 하지 않겠나? 나는 자네의 판매 비결을 듣고 싶네. 어때, 말해 줄 수 있겠나?"

"좋아！"

다음 날 그를 만난 나는 최고급 식사를 시켜 그를 대접했다. 나는 식사가 끝나자마자, 기대를 걸고 엘머를 바라봤다.

그런데 엘머는 나의 마음을 아는지 모르는지, 비결을 말하기는커녕 테이블 나이프를 가지고 장난치고 있었다. 그는 그것을 들고 이리저리 살펴 보고 있었다.

"지금까지 유심히 살펴 보았는데 이 나이프는 호텔에서 사용하는 것치고는 꽤 고급인데."라고 그는 입을 열었다.

"내가 잘못 봤는지는 모르지만 이것은 그라험 제(製) 같은데. 멋있는 디자인이야. 호텔은 이것을 경매로 산 게 아닌가 생각되네. 지배인을 만나면 물어보기로 하지."

그는 나이프를 나한테 건넸다.

"봐요. 얼마나 가벼워……, 게다가 순은이야……, 이건 진짜 고급품인데……."

나는 엘머의 판매 비결을 듣고 싶었으므로 화제가 빗나가는 것에 좀 당황하면서 그 나이프를 받았다.

내가 나이프를 들고 자세히 보고 있자, 그는 말을 계속했다.

"만일 세트를 투매가격으로 살 수 있다면 좀 사고 싶은데,
자네는 어떻게 생각해?"

"아주 좋은데, 자네가 말한 대로 가볍고……, 디자인도 좋
고……, 이런 고급 나이프를 호텔에서 쓰다니 놀랐는데."

나도 동의했다.

"만일 값이 싸다면 이런 세트를 사겠나?"라고 그는 물었다.

"응. 살 수만 있다면야 사는 게 현명하겠지."라고 내가 말
했다.

그러자 엘머는 손을 내밀었다.

"그럼, 그 나이프를 팔지. 25센트 주게."

나는 무의식중에 호주머니에 손을 집어넣고 위태롭게 25센
트를 꺼내려는 참이었다. 그는 교묘하게 나를 꾀어 암시를 강
화해 간 다음 내 흥미를 돋구었다. 드디어는 25센트를 요구하
며, 자기 것도 아닌 나이프를 나로 하여금 사도록 만들어 버
리고 만 것이다.

"비결이라고 한다면 다만 그것뿐이야."라고 엘머는 빙그레
웃었다.

"손님에게 이쪽의 제품, 또는 주장을 무엇이건 납득시키는
일이지. 즉 상품을 손님의 손에 쥐게 하고, 그것이 마음에 들
도록 흥을 돋군 다음, 이쪽 생각에 찬성시키는 거야. 더욱 중
요한 판매의 비결은 '갖고 싶어 하는 생각은 거의 모든 사람
에게 공통된 심리다.' 사람이 한 번 제품이나, 아이디어를 마
음에 받아들여 일단 손에 들고 보면 벌써 놓으려 하지 않는
다, 이 말이지. 그 상품을 본시 가지고 있던 사람에게 돌려
주는 것을 호주머니에서 돈을 꺼내어 그 대가를 지불하기 보

다도 어지간히 싫어하거든."

사람은 상품에서 결코 손을 떼려고 하지 않는다는 그의 말의 참뜻을 나는 몸소 체험할 수 있었다. 그것은 뜻하지도 않던 일이었으나 나는 엘머에게 25센트를 지불하고 호텔의 나이프를 갖고 싶은 마음이 되었기 때문이다. 그 나이프가 호텔 것임을 뻔히 알고 있으면서 그 충동에 꾀었다. 엘머는 나에게 최고급의 판매를 보기 좋게 성공시켰다.

당신이 세일즈맨이나 스스로 장사를 하는 사람으로서 올바른 사고방식만 가지고 있다면 틀림없이 거래는 는다. 사람들은 입버릇처럼 '사업이 부진하다, 어려운 세상이다, 엉망진창이다.'라고 말하여 당신을 마음 약하게 만든다. 당신이 만일 그 생각을 받아들여 자기 것으로 해 버리면 당신의 사업도 뒤죽박죽이 된다. 그것은 설마하고 생각할 만큼 놀랄 정도의 사실이다.

상대방의 부정적인 말은 당신 뇌리에 불길한 영상을 그리게 한다. 그것은 당신의 사고의 파동을 일으켜서, 불안한 사고의 파동을 사방으로 전파해 간다. 불안한 사고는 놀라운 전염력을 갖고 황야에 일어난 불길처럼 번져 간다.

그와 반대로 긍정적인 사고도 같은 작용을 한다. 누군가에게 희망적인 말을 들으면 당신은 희망적인 영상을 그리게 되어 마음이 즐겁고 흐뭇해진다. 그 흐뭇함을 계속 유지하면서 일에 임하면 당신의 상업이나 매상은 자동적으로 늘어간다.

불과 같은 열의를 가져라

불과 같은 강렬한 열의를 마음에 갖고 있으면, 그것은 이윽고 불길처럼 일어나 당신의 모든 일에 영향을 끼치지 않을 수 없다. 또한 강력한 열의에 의하여 일어나는 파동은 다른 사람에게 영감을 주고 분발시켜 일을 끌어들인다.

당신의 불안한 파동이 사람들을 철, 철, 철! 하고 망하게 하고, 배척하고, 파괴로 이끄는 것과 꼭 반대다. 어떤 때나 항상 일이 있다고 믿고, 일을 쫓는 사람에겐 반드시 어딘가에 일이 있다. 그것은 의심할 수 없는 엄연한 사실이다. 그러나 일이 있을 리 만무하다고 굳게 믿고 조금도 움직이지 않는 사람에게는 일은 있을 리 없다.

> ## 암시는 세상에서 가장 강력한 힘의 하나다.

그것은 적극적인 것과 소극적인 것과의 두 방향으로 똑같이 강한 힘을 발휘하는 것이다. 이 힘을 어느 것에 향하게 하는가는 당신 자신의 생각 하나로 결정된다.

보다 건설적이고, 또 명성을 떨치기 위해 당신은 이 암시의 힘을 상당히 유리하게 활용할 수 있다. 당신이 현재 하고 있는 일이나 장래의 일들에 대하여 소극적인 마음으로 기울어지고 있다고 깨달을 때는 즉시 마음가짐을 바로 해야 한다. 당신의 의식 속에 그와 같은 생각을 머물게 하면, 그 사고는 순식간에 눈덩이를 굴리게 된다. 그렇기 때문에 그릇된 마음의 영상을 버리고 사물을 올바른 눈으로 보도록 강한 암시로 바꾸지 않으면 안 된다.

어떠한 난관에 부딪쳐도 당신은 그것을 극복하고 보다 열심히 일하여 내일은 보다 좋은 수확을 거두고 있는 마음의 그림을 만들라. 잊지 않는 게 좋다, 내부에 있는 창조하는 힘은 당신으로부터 받은 것에만 가동한다는 사실을.

건축가는 청사진에 의하여 일을 한다. 만일 청사진에 결함이 있고, 게다가 그가 그것을 알아차리지 못하고 있다면, 그 결함은 건축물에 나타나게 된다. 당신도 마찬가지이다. 당신의 그릇된 생각, 말하자면 당신이 자기 자신에게 날마다 들려 주고 있는 그릇된 암시를 알아차리지 못하면, 결국 당신은 그러한 암시를 친구나 동료에게 차례로 전하게 되며, 그들은 그것을 받아 들여 당신이 마음에 그리고 있던 대로의 나쁜 환경을 만들어내는 데 협력하게 된다.

어린이의 마음에 무엇을 심는가?

어린이들은 부모나 연상의 사람들에게 빗나가기 쉽다. 어린이의 짓궂은 장난보다도 연장자의 좋지 못한 암시가 더 커다란 영향을 준다.

"그런 옷차림으로 나가지 말아라. 감기에 걸린다."

"정신 차려라 ! 차에 칠라 !"

"건드리지 말아요. 부숴요 !"

"그럴 줄 알았어 ! 자기가 하고 있는 일을 몰라 !"

"늦게까지 밖에 있어선 안 된다. 틀림없이 좋지 못한 일이 일어난다 !"

"물가에 가면 안 돼요. 빠져요 !"

"넌 할 수 없어. 나한테 맡겨 둬!"

"너는 어리니까 가만 있어. 너는 아직 아무것도 몰라!"

"너는 아직 그런 것을 듣는 게 아냐. 아직 어리니까, 그런 것은 몰라도 돼!"

당신은 이와 같은 놀라운 암시—이 밖에도 수없이 있겠으나—를 들은 일이 있을 것이다. 이렇게까지 흥분되고 그릇된 생각을 하는 사람에게 길러진 어린이들이 용케 별 탈 없이 길러진 것이 그저 놀라울 뿐이다.

세상의 부모들은 자녀들이 눈에 벗어나는 나쁜 장난에 끌려 자신을 잃고 상식에 벗어난 행동을 하면 엄하게 꾸짖지 않을 수 없는 것이다. 그러나 어린이의 교정 수단으로써 두려움을 주거나 좋지 못한 암시를 주는 것은 결코 현명한 일이 못 된다. 어린이들이 이런 식으로 힐책당하면 부모들이 강조한 결함이 그릇된 영상으로 어린이의 의식에 착 달라붙게 된다. 그것은 결점, 그 자체에 대한 감수성을 도리어 더욱더 강화하게 만드는 결과를 빚는다.

집에 틀어박히고 싶어 하는 어린이, 겁쟁이 등은 여하간에 타고난 핸디캡을 갖고 있다. 만일 부모나 연장자가 이 어린이는 얼마나 소심하고, 품행이 좋지 못하고, 겁쟁이인지를 치근치근하게(반복, 되풀이하여) 잔소리하게 되면 그는 이전보다 더욱더 그 경향을 강화할 따름이다. 세상에는 적극적이고 밝은 암시를 진정 필요로 하는 어린이들이 있다.

학교의 선생 중에는 이 필요성을 인정하여 기회 있을 때마다 뒤떨어져 눈에 띄지 않는 어린이들에게 "너 날마다 명랑해지는데……, 착해졌어!"라고 말한다. 비료가 모자라는 어

린 식물처럼 어린이들은 잠깐 사이에 반응을 나타내고 몰라
보게 달라진다. 이 방법을 시도해 보라. 사랑을 깃들여 그 표
현을 강화하라. 그러면 기적이 일어난다.

최면술은 여러 가지 모양으로 암시력을 실증하고 있다. 한
번 의식이 저항이 제거되어 잠재의식에 직접 접할 수 있게
되면 어떤 암시를 주더라도—만일 그 암시가 그 사람의 도덕
적 기준내의 것인 한—잠재의식은 곧 그것에 반응한다. 그 사
람의 근본적인 성격에 상반되는 암시를 하면 반응하기를 거
부하거나, 그렇지 않으면 최면에서 깨어 버리거나의 어느 한
쪽이다. 인간에게 고정된 행동 규준에 반하고 있는 행위를 자
진해서 하게 하려면 미리 그 사람의 현재의 도덕관을 바꾸도
록 일련의 준비된 암시가 필요하다.

이 사실은 분명히 인간은 정신을 바꾸기 전엔 행위를 바꾸
는 것이 아님을 보여 주고 있다. 이 정신이라는 것은 당신의
과거의 경험이나 생각을 통하여 형성되고, 당신 자신이 자진
하여 생각을 바꾸지 않는 한 언제까지라도 지속되는 것이다.

수면 중에도 영향을 받는다

심리학자의 연구결과에 의하면 모든 사람은 단점이나 버릇,
심리장애, 열등감 등을 극복하는 방법으로 수면 중 침대 곁에
서 암시를 받으면 큰 효과가 있다 한다. 잠재의식은 결코 잠
자지 않는다. 끊임없이 당신의 내부나 주위에 일어나는 일에
주의를 기울이고 있다.

만일 당신의 자녀가 누구에게나 인사를 하지 않는다고 가

정해 보자. 인사를 하지 않으니까 버릇없다는 소리를 듣는다. 당신은 그것을 고쳐 주고 싶은데, 아들은 좀처럼 고치지 않는다. 꾸짖으면 반항을 하는지 더욱더 인사를 하지 않는다.

이 때는 아들이 잠들어 있을 때 암시를 하면 놀라운 효과를 보게 된다.

"너는 참 예절 바른 아이다. 인사를 잘 하기 때문에 모든 사람들에게서 사랑을 받는다."

이와 같은 암시를 계속하면 아이의 잠재능력은 마침내 그것을 표출하게 된다. 잠자고 일어나더니 사람이 달라진 것이다.

당신이 어떻게 생각하든 인생의 모든 것은 완전히 암시의 연속이다. 당신은 줄곧 당신에게 일어나고 있는 사건을 받아들이거나 거절하고 있다. 만일 당신이 그것을 받아들인다면 당신의 정신은 그에 따라 행동하고, 좋게 되거나 나쁘게 된다. 잘 되거나 나쁘게 되는 것은 그 체험의 성질과 종류에 따라 결정된다.

사람들의 면전에서 당신의 개성을 어떻게 표현하는가는 그들에게 암시적인 효과를 미친다.

세상은 적자생존의 무대다. 강한 자가 지배한다. 강한 자의 두드러진 특성 중의 하나는 '적극성'이다. 강자의 적극성은 굳은 신념에서 발산된다. 따라서 해야 할 일에는 망설이지 않는다.

아무리 적극성이 좋다 하더라도 집을 뛰쳐나와 돌아다니며

가장 위대한 진리는 가장 단순한 것이다. 가장 깊은 지식은 가장 단순한 표현을 한다. - 파스칼 -

자기의 적극성을 사람들 앞에서 자랑스럽게 뽐내서는 안 된
다. 나는 지금 당신의 적극성을 주위에 과시하라고 말하고 있
는 것이 아니다. 정신적으로나 감정적으로 균형이 잡힌 인물
은 대체적으로 온화하고 조용하다. 시끄럽게 떠들지 않으며
듬직하다. 그러면서도 다른 사람의 일에 관심을 갖고 귀를 기
울인다.

적극적인 힘은 의외로 은연중에 발로된다. 그것은 부드러워
보이지만, 마치 힘센 유체(流體) 톱니바퀴가 맞물고 돌아가는
것에 비교된다. 당신은 이 힘의 작용을 알아차리지 못할 정도
이지만, 그 힘은 엄연히 존재하는 것이다. 그리고 이 힘은 어
느새 곧 로우로부터 하이로 갈아 넣는다. 다만 힘에만 의지하
여 사람들을 지배하려는 사람들이 적극적인 힘을 오용하는
것이며, 그것은 성격상에 나타나는 결함이다. 이와 같은 사람
은 자기의 열등감을 메꾸기 위해 그저 겉치레만의 힘으로 사
람의 주목을 끌려고 한다. 한때는 성공할지도 모르겠으나 그
성공을 오래 유지할 수는 없다.

당신이 되고 싶은 모습을 마음의 눈으로 보라

자기를 생각해 보라. 당신은 자기가 되고 싶어 하는 인품의
사람인가? 만일 그렇지 않다면 당신이 되고 싶어 하는 모습
으로 될 수 있게 하는 암시를 자기에게 주라. 사람들에게 보
이려는 자기의 모습이나 개성을 어떻게 표현하면 좋을지, 그
영상을 그리라. 그 영상들을 당신의 앞에 비치고 있는 자기의
실제의 영상에 겹쳐 보라. 당신이 자기 자신에게 꼭 주고 싶

은 변화를 마치 이미 실재하는 것으로서 마음에 그리라.

이와 같은 영상을 날마다 밤마다 되풀이하라. 열심히 노력하라. 반복, 되풀이의 힘을 잊지 말라!

만일 당신을 사람들이 의욕을 실행할 능력이 없는 사람이라고 비평하거나 신용하지 않더라도 그러한 사람의 암시를 받아들여서는 안 된다. 그들의 비평이 옳은지의 여부를 판단하기 위해 자기 분석을 하라. 그리고 만일 그들의 비평이 옳더라도 그 비평 때문에 품었을지도 모를 원한을 깨끗이 제거하고 그 결점을 스스로 깨닫게 된 대 감사하라. 그 결점들이 당신의 향상을 더 이상 방해하지 않도록 서둘러 제거하라.

그러나 어디까지나 자기를 신뢰하라. 만일 신념을 잃는다면 모든 것은 원점으로 돌아가고 만다. 성공은 일의 대소를 막론하고 자기를 믿고 내부의 창조력을 신뢰하는 데서 비롯된다. 당신은 그 신념을 갖지 않으면 안 된다. 현재의 자기를 되고 싶어 하는 자기가 될 때까지 그것을 지속하라. 자기 자신에게 이렇게 들려 주라.

"나는 매일 나 자신을 개선하려고 생각한다. 따라서 나 자신 속에 발견된 과오를 제거하려고 한다. 날마다 나는 더욱 자제심을 강화하려 한다. 매일 나는 한층 더 불안, 번민, 그 밖의 이롭지 못한 생각을 극복하려고 생각한다. 매일 나는 더욱 건강하고 행복하고 번영하도록 노력한다. 나는 매일 다른 사람에게 도움이 되는 더욱 좋은 기회와 값있는 행위를 찾아내려고 생각한다."

이것을 지금 곧 시작하라. 그리고 필요에 따라 적극적이고 밝은 암시로써 당신의 내일을 창조하라.

신념의 폭탄을 악용하지 말라

고성능 폭약은 항상 주의하여 다루지 않으면 안 된다. 당신의 '폭발 뇌관'은 지금 조정되어 있고, 당신은 이 내부에 있는 힘의 발사 준비를 완료했다. 따라서 당신이 끊임없이 신변— 자기의 품속—에 가지고 있는 이 TNT의 강력한 폭발을 눈앞에 두고, 당신이 해서는 안 될 일을 경고할 때가 되었다는 뜻이다.

만일의 경우 이 힘을 악용한다면, 당신의 모자는 하늘 높이 날아가고 그와 동시에 당신은 당신의 사랑하는 가족이나 친구들도 날려 버리고 말 것이다.

당신은 이제야 진실한 의지를 갖추어 자유롭게 선택권을 구사하는 한 사람으로 다시 태어났다. 이 말은 이 힘을 악용할 수도 있다는 뜻이다. 하지만 만일 악용한다면, 맨 먼저 당신 자신이 아주 위험한 상태가 되고 만다. 수많은 사람들이 그것을 오용하여 그들 스스로 무덤을 팠으며, 역시 금후에도 그 이상의 사람들이 똑같은 어려운 처지에 빠질 것이다.

똑같은 이슬도 소가 먹으면 우유가 되고, 뱀이 먹으면 독이 된다. 똑같은 힘을 가지고 있더라도 선인은 정의로운 일에 사용하고, 악인은 악한 일에 사용한다.

당신은 이 힘을 더 이상 마음 속에 가두어 두어서는 안 되지만 악용해서는 더욱더 안 된다.

당신의 주위를 둘러 보라. 지구상의 온 인류를 두고 생각해 보라. 많은 나라에서 이 순간에도 괴로움과 궁핍, 경제적인 중압감, 격렬한 증오와 편견, 강렬한 적의, 전쟁 등에 고통 받고 있다. 이것들은 모두 인간의 그릇된 생각에 의하여 인간 스스로 만들어 내는 것이다.

당신은 이런 상태를 어떻게 다루었으면 좋겠는가? 필설로 표현하기 어려운 인류의 파멸을 피하기 위해 위험하기 짝이 없는 TNT의 오용을 중지시킬 수 있을까?

어떤 조치를 취하지 않으면 안 된다. 그리고 당신이야말로 그것을 할 수 있는 사람이어야 한다. 이미 다른 사람이 행동하는 것을 우두커니 기다리고 있어서는 안 된다. 이 힘을 본래의 바른 방법으로 이용하는 마음은 세계의 양식 위에 더욱 적극적인, 그리고 건설적인 무언가를 부과해야 한다. 당신은 친구나 사랑하는 가족들, 그리고 사회에 대하여 커다란 영향력을 갖는다. 따라서 당신이 그것을 사용하는 방법이 소극적이어서는 안 되며, 이상적이어서도 안 된다. 어디까지나 현실적이어야 한다.

비록 무슨 일이 일어나더라도 당신 자신의 마음을 여기서 지금 바로잡는 것만으로도 커다란 인내와 보호인을 얻을 수 있다. 사실 사람을 해방하거나 파괴하는 마음의 위력은 세상에 충분히 알려야 한다. 세계 역사에 있어서 가장 교육적인 작업은 먼저 인간이, 인간 자신에게 무엇을 하고 있는가를 알리는 일이다.

세계의 역사는 이 힘을 이용한 사람들이 기록했다. 역사책을 펼쳐 보면 그들의 이름이 가득 차 있다. 그리고 그 중에는 이윽고 이기적인 목적을 위해 다른 사람을 이용하거나 지배하는 데 그 힘을 사용했던 사람들도 많다. 그러한 사람들은 한때는 성공하지만, 결국 모두 비극적인 결말을 고했다.

나는 재차 여기에 네로, 무솔리니, 히틀러, 스탈린, 레닌의 이름을 드는 것만으로도 충분하다. 그들이 인류에게 안겨 준 불행, 예전에 그들이 장악한 권력, 그리고 그들이 이 힘을 악용하여 만들어 낸 악이 그들의 사후에도, 어떤 경우에는 오늘날까지도 줄곧 계속하여 어떻게 존속하고 있는지를 생각해 보면 된다.

이 힘을 당신이 사용할 때 조심하라. 이 힘에 의하여 당신의 지위가 점차로 높아지는 것을 알았다면, 당신의 자아가 스스로 높아지도록 맡겨 두어서는 안 된다.

양심의 소리에 귀를 기울이라! 당신은 한 걸음씩 계획을 진척시켜 감에 있어서 이렇게 반성하라.

인내를 배우려거든 음악가에 뒤지지 않는 연습이 필요하다. 그렇게 되면 우리들은 언제 선생님이 을 것인지조차 잊고 있을 것이다. - 존 러스킨 -

"나는 이 힘을 바르게 이용하고 있을까? 충분한 책임의식을 가지고 사용하고 있는가?"

늦어지더라도 정확한 걸음걸이를

분명히 당신은 그 자리에서 당장 이 힘을 획득할 수도 있을 것이다. 당신이 이 힘을 얻게 되었다 하더라도, 이 힘은 스스로 옳고 그름을 분석, 결정하는 능력을 가지고 있지 않다. 그것을 할 수 있는 능력은 당신의 이성, 즉 현재의식이다. 그런 이유에서 당신의 내부의 힘에 과해진 요구에 비하여 당신은 과연 알맞는 사람인지 어떤지의 의문에 대하여 심판하는 역할을 수행하지 않으면 안 된다. 그렇지 않으면 당신의 손으로 감당할 수 없는 파탄을 낳게 될 것이다.

당신은 어느 누구보다도 자기를 가장 잘 알고 있을 것이다. 예를 들면, 당신이 대학을 갓 나온 것만으로 어떤 사업이나 산업을 이끌 수 있는지 어떤지 스스로의 지식이나 경험을 돌이켜보고 생각하지 않으면 안 된다. 졸업증서만으로 성공하는 것이 아님을 알고 있을 것이다. 이것을 잘 명심해 두는 게 바람직하다.

세상의 모든 일은 이론이나 공식대로 척척 진행되는 것은 결코 아니다. 곳곳에 함정이나 암초가 도사리고 있다. 그 함정이나 암초를 피할 수 있는 능력이 경험이다. 젊은이가 패기에 넘쳐 있는 모습은 곁에서 지켜보기에도 좋다. 의욕적으로 일하고 있는 모습은 그 어떤 모습보다도 아름답다. 그러나 너무 의욕이 앞서면 무리가 따르게 된다. 먼 길을 가려면 준비를 철저히 해야 한다. 중간에서 벌어질지도 모르는 일을 미리 파악하고 그 대비책을 세워야 한다. 그러자면 경험자의 조언이 절대적으로 필요하다.

일반적으로 사람은 자신의 지식의 한도 내에서 사고한다. 그런데 사회는 학교에서 배우지 않았던 지식들이 가득 차 있다. 그것들을 꾸준히 배우려는 자세가 당신을 현명하게 만든다.

자기를 알라. 당신의 욕구를 알라. 다시 한 번 강조하지만 '걷지도 못하면서 뛰려고 하지 말라.'

현재 자신의 능력을 정확히 파악하고 있어야 한다. 그리고 어느 때이거나 당신의 능력 이상의 것을 자기에게 요구해서는 안 된다. 당신은 성장함에 따라 자연히 더욱 훌륭하고 커다란 기회를 만나게 된다.

내부의 힘은 당신의 노력과 어울려 당신이 가고 싶어 하는 곳으로 도달하는 데 필요한 것은 어떤 것이라도 부여해 준다. 그리고 한걸음씩 한걸음씩 행복과 성공의 사닥다리를 올라가게 된다.

그 힘을 이기적으로 이용하지 말라

처음으로 이 힘을 깨닫게 된 사람들에게 있어서 이 힘을 이기적인 목적에 사용해 보고 싶어 하는 것은 하나의 유혹이다. 이 힘은 당신이 어떤 영상을 그것에 부여하더라도, 또 당신의 의도가 좋든, 나쁘든 당신의 명령에 따른다. 당신은 누군가를 이용하는 영상을 그릴 수도 있다. 만일 그 사람이 당신을 신뢰하여 당신의 좋지 못한 계략을 알아차리지 못한다면, 당신은 그것을 그에게 강요할 수도 있을 것이다. 그러나 그러는 동안에 당신은 일종의 감수성—일종의 파동—을 자기의 의식 속에 낳게 하여 그와 똑같은 사건을 당신 자신에게 끌어들이게 된다.

이러한 그릇된 정신의 조작에 의하여 당신은 스스로 만든 올가미에 걸려들게 된다. 당신이 다른 사람에게 꾀하는 일은 모르는 사이에 실은 자기에 대하여 죄를 범하고 있는 것이 된다. 왜냐 하면 '당신 자신은 반드시 자기가 있는 곳으로 돌아온다.'이기 때문이다.

당신은 자기의 생애의 소망을 이루기 위해 스스로 자진해서 노력할 마음이 있는가? 아무런 노력도 기울이지 않고 입수하는 것은 대부분 어느 새엔가 금방 잃곤 만다. 그것을 끌어들인 자성(磁性)이 언제까지나 유지되지 않기 때문이다. 부당한 방법으로(그릇된 정신의 조작에 의하여) 당신이 끌어들인 어떤 것의 주변에도 힘은 형성되지 않는다. 그 결과 누군가 다른 것이 이 힘을 악용하여 당신으로부터 그것을 빼앗아가 버릴 수 있다.

유(類)는 유를 부른다. 이를 잊어서는 안 된다. 당신이 만일 어떤 사람으로부터 어떤 일을 해 주지 않기를 원한다면, 먼저 당신은 그 일을 그에게 해서는 안 된다. 이것은 옛 훈계를 알기 쉽게 표현한 것인데, 알지 못하는 것에 대한 한 마디는 지혜의 시작이다. 결국 당신은 마음 속에 있는 어느 것도 가지고 달아날 수는 없다. 인과응보의 원칙이 그것을 지켜보고 있다.

오늘날까지 이 TNT를 올바르게 사용한 인간은 극히 드물다. 그렇지만 그들이 이것을 바르게 사용한 이상은 거기에는 반드시 그 사람에 대한 행복, 성공, 건강, 번영 및 명예까지 안겨 주었다. 그들이 실현한 행복, 성공, 건강, 번영의 정도는 이 힘을 사용한 정도에 비례하고 있다. 이것은 언제나 그렇다. 수도꼭지를 반만 열어 보라. 물은 반 정도밖에 나오지 않을 것이다. 그 힘을 부분적으로밖에 유출시키지 못하면 당신이 차지하게 되는 보수도 그만큼 적을 것이다.

그것은 그 곳에 있다. 바로 당신의 내부에 당신의 일부로서, 당신의 호주머니 속에 있다. 이전에 아직 알지 못하여 내가 가지고 있는 것을 깨닫지 못했을 무렵, 그것이 내 호주머니 속에 있던 것처럼……, 그것은 언제나 내 것이었었다. 모든 시대의 뭇사람들이 이용할 수 있도록 언제나 세계 안에 있었다. 그리고 그것은 다른 어떤 재보(財寶), 지식, 예지(叡智)보다 능가하는 재보로 온갖 문제 해결의 열쇠다. 이와 동시에 만일 인간의 그릇된 생각 때문에 그릇된 방법으로 폭발된다면 저주된 것 중에서 가장 큰 것이며, 모든 힘 가운데에서 가장 악마적인 작용을 하는 것이다.

그것을 선용하는가, 악용하는가는 당신 자신의 생각 하나에 달려 있다. 당신이 그것을 가지고, 그것을 조작하는 방법을 이해한 이상 그것을 어떻게 다루게 될는지는 나로서는 모른다.

그 사용법을 어떻게 정하는가는 어느 경우에도 당신의 세계를 일변하게 할 것이며, 아마 온 세계를 일변케 할 것이다.

위험한 고성능 폭탄을 충분한 지식과 주의를 가지고 다루라.

> ## 당신이 그렇게 믿기 때문에 그것은 그렇게 된다.

당신이 믿는 것, 이 세상 사람들의 믿는 것이 내일의 세계를 형성할 것이다.

그리고 그 신념의 TNT는 지구를 뒤흔든다.

제5부

힘은 당신의 것이다,
사용하라

'그것'의 사용에 대한 질의 응답
당신의 호운을 사람들에게 나누어라
힘은 당신의 것이다-사용하라

'그것'의 사용에 대한 질의 응답

인생의 목적은 둘 있다. 그 첫째는 바라는 것을 얻는 일,
둘째는 얻은 뒤에 그것을 즐기는 일이다. 인류 가운데 가장
현명한 사람만이 두번째 일을 할 수 있다.
– 로건 피어설 스미스 –

몸 안에 있는 '그것', 즉 마음 창조하는 힘을 발견하여 열심
히 연구하고, 그것을 일상생활에 응용하려는 사람들로부터 많
은 질문을 받았다. 그 몇 가지는 당신도 관심이 있을 것이므
로 가장 대표적인 것만을 골라 이 장(章)에서 응답형식으로
서술한다. 내 대답이 당신의 발전과 이익이 되기를 희망한다.

(문) 흥분하고, 의기가 상실되고, 불안과 번민이 있습니다.
어떻게 하면 그것을 피하여 저의 마음을 가라앉히고 유지할
수 있을까요? 원인은 모두 외부에서 오는 듯합니다만……

(답) 여러 가지 체험에서 오는 그릇된 감정반응이 당신의
마음에 같은 사건을 또 되풀이하지 않을까 하는 두려움을 가
져다 주는 것입니다. 그러한 잠재의식적 불안 때문에 무언가

이전의 체험을 암시하는 듯한 일이 있으면 당신이 말하는 '흥분과 의기상실, 불안과 번민'을 낳게 됩니다. 그것을 제거하는 방법은 과거의 불안이나 번민이 당신에게 스며들어 감정으로 되어 있는 것을 당신의 마음으로부터 씻어 내야 합니다.

그렇게 하면 잘못된 사고나 감정이 같은 것을 끌어들이지 않게 될 것입니다. 바꾸어 말하자면, 당신의 밝고 적극적인 마음이 늘면 늘수록 소극적인 사고의 힘도 재난도 감소됩니다.

(문) 당신의 주장으로는 위급할 때 잠재의식이 우리를 도와 바른 행동을 취하게 한다고 말하고 있습니다. 하지만 우리들이 아는 바로는 화재를 당한 사람은 귀중한 것을 잊고서 쓸모없는 의자 같은 것을 들고 나오고, 또 한편 안전한 길을 깨닫지 못하고 엉뚱하게 위험한 쪽으로 달아나기도 합니다. 이러한 것들은 어떻게 설명하겠습니까?

(답) 잠재의식은 원래 위급할 때 '바른 행동의 선택'을 하는 것은 아닙니다. 만일 화재에 대한 공포를 끊임없이 안고 있고, 게다가 실제로 화재가 일어났을 때, 어떠한 행동을 취하는가를 미리 마음에 그리고 있지 않다면 돌발한 화재의 경우, 당신은 그 공포로 당황하게 되어 잠재의식으로부터 바른 행동의 방향을 제시받게 되지 않습니다. 기억해 두십시오. 당신의 마음 속에서 나오는 것은 언젠가 전에 채택한 일이 있는 것에 한합니다. 왜냐 하면 당신은 과거에 일어난 사건의 반응을 가지고 당신만의 세계를 거기에 쌓고 있기 때문입니다. 화재가 일어났을 때, 꺼낼 가치가 있는 것을 당신은 미리

마음에 그리고 있지 않기 때문에 무언가 건져 내려고 하여 당황해서 쩔쩔매게 되고, 아무거나 손에 닿는 대로 붙잡습니다. 또 화재가 일어났을 때의 도피구를 마음에 그리고 있지 않았기 때문에 당신은 대피하는 것에만 정신이 팔려 도망갈 길을 찾지 못하는 겁니다.

나는 멀리 여행하면 호텔이나 모텔 등 꽤 다양한 곳에 머물게 됩니다. 하지만 화재를 두려워하지 않습니다. 왜냐 하면 어디에 머물더라도 먼저 지성을 작용시켜 머무는 방의 비상구, 계단, 비상용 사닥다리 등을 생각합니다. 게다가 비상구의 문에 자물쇠는 채워져 있지 않은가, 비상용 사닥다리로 빠져 나갈 창문은 열리는지 어떤지를 살펴 둡니다. 가끔 문에 자물쇠가 채워져 있거나 창문이 열리지 않던 예가 있었습니다. 방의 모양, 방을 나와서 좌우 어느 쪽이 비상구에 가까운가 등도 조사하고 어둠 속에서도 짐작할 수 있게 해 둡니다. 이렇게 하여 점검하는 데 5분 내지 10분 정도 걸립니다. 그렇게 해 놓고는 만일 화재가 일어난다면 아무 때라도 순식간에 바른 행동을 취할 수 있다는 생각을 갖고, 모든 것을 의식으로부터 버립니다.

또 무엇을 들고 대피할까도 미리 생각해 둡니다. 화재가 일어나 속단을 요할 때, 나의 마음에 혼란이 일어나지 않게 하기 위해서입니다. 당신의 잠재의식의 '그것'에 바른 지시를 주고 당신의 의식으로부터 불안을 제거해 두면 결코 실수하는 일은 없습니다.

(문) 당신은 잠재의식이 모든 것을 알고 사실상 틀리는

일이 없다고 말하고 있는 것 같습니다. 만일 그렇다면 잠재의식은 왜 이롭지 못한 그릇된 생각이나 밖에서 일어나는 일에 좌우됩니까?

(답) 암시입니다. 만일 당신이 의식을 가지고 승인하면 외계에 있어서 당신에게 일어나는 모든 일에 잠재의식은 곧 반응합니다. 잊어서는 안 됩니다. 무엇이든 당신이 채택하는 것, 당신이 체험한 마음의 그림은 모두 잠재의식에 저장됩니다. 그러므로 나는 입이 닳도록 당신의 TNT를 그릇된 방법으로 사용하지 말라고 경고하는 것입니다.

당신의 주변에 일어나는 일부터 그릇된 반응을 일으키지 않도록 컨트롤하지 않으면 안 됩니다. 당신의 주위의 상황이나 사태에 대하여 불안이나 번민 같은 사고방식을 잠재의식으로 보내서는 안 됩니다. 만일 보낼 것 같으면 당신은 내부의 힘을 향하여 그와 같은 일을 당신에게 끌어오라고 줄곧 명령하고 있는 것이 됩니다. 왜냐 하면 당신은 참으로 그것을 마음의 그림으로 그리고 있기 때문입니다. 당신은 그에 따라 이미 일어난 사건을 몇 번이고, 몇 번이고 되풀이하여 창조하고 있게 됩니다.

잠재의식은 당신이 의식적으로 명하는 일을 조금도 거절하는 일 없이 따릅니다. 잠재의식은 재치 있는 감지력을 갖고 있다고 하나 이성을 가지고 판별하는 일을 하지 않습니다. 이성적 판단은 현재의식만이 갖게 됩니다. 당신이 사고해야 할 일을 잠재의식에게 대행시키려는 것은 무리입니다. 그것은 당신의 명령에 의하여 당신을 위해 감지하고, 당신이 알아야 할 정보를 당신에게 가져가든지, 또는 당신을 그 정보원에 연락해 줍니다. 그러나 잠재의식은 당신의 욕구, 결의, 당신의 자유의사에 따른 선택을 바탕으로 항상 그 명령에 복종합니다.

(문) 선생님은 말씀하고 계십니다. '상대방을 신중하고 좋은 사람이라고 생각하라. 그러면 그 사람은 이쪽에 호의를 갖는다.'고 말입니다. 그러나 설사 상대자가 아무리 보아도 좋지 못한 사람이어서 상대할 수 없는 사람으로 알고 있다 합시다. 그래도 그 사람을 믿고 상대해야 되겠습니까?

(답) 나는 결코 자기를 속이라고 권하는 것은 아닙니다. 당신이 말씀하신 대로 만일 상대자가 못 쓸 사람이어서 신뢰할 수 없다고 판단되면, 물론 그 사람과 접촉하는 데도, 교섭을 계속하는 데도 경계가 필요합니다. 그러나 인간이라는 것은 여러 가지 면에서 과실을 저지르기 쉬운 존재입니다. 잘못 판단하는 경우가 종종 있습니다.

우리는 자칫하면 무언가 나쁜 일만을 그들에게서 연상하여 예상하기 때문에 그 예기한 대로의 일을 하게 되는 것입니다. 우리들 자신이 그들의 좋지 못한 면을 끌어내려고 하는 태도이기 때문에 그들도 반항적으로 방위태세를 취하게 됩니다. 몇 사람을 대해도 의문이 있으면 좋은 방향으로 해석하고, 그 또는 그녀의 좋은 소질에 호소하여 그 사람의 좋은 점을 보아준다면 그는 결코 당신을 해치지는 않습니다. 유(類)는 유를 부르기 때문에 만일 그가 당신의 성의를 알고, 당신의 신뢰를 인정할 수 있게 되면, 그도 그 신뢰를 느끼고 당신에게 좋은 보답을 하는 일이 가끔 있습니다.

당신은 다른 사람의 그릇된 사고나 행위로부터 자기가 지켜진 모습을 마음의 그림으로 그리십시오. 다른 사람에게 속지는 않을까 하는 불안을 제거하십시오. 공포는 즉 당신을 그 사람의 눈에 불신으로 보이게 합니다. 나에게 이런 말을 한 사람이 있습니다.

"모모한 사람에 대해 당신은 어떻게 생각하십니까? 저로서는 당신의 마음을 전혀 알 수가 없습니다."라든지, "어째서 저런 사람과 사귑니까?" 등. 나는 다만 그 '저런 사람'의 좋은 점을 보고 있습니다. 세상 사람들은 너무나도 장벽을 쌓기 때문에 상대방의 분노를 삽니다. 결국 상대방에게 그릇된 반응을 일으키게 합니다. 즉 색안경을 쓰고 보기 때문에 상대방도 이쪽을 색안경을 쓰고 보게 되고, 이상한 태도로 대하게 됩니다. 비록 개일지라도, 당신이 아무리 태연한 체하더라도, 그 개를 어떻게 생각하고 있는가를 본능적으로 알고 있습니다. 당신은 인간을 개보다도 능숙하게 다룰 수 없습니까? 만일 누군가가 모처럼 본심으로 돌아서려 할 때, 우리가 그 기회를 거부한다면, 우리에게 어떤 분배가 있다고 할 수 있겠습니까?

【문】 만일 사람이 실천할 수 있는 훌륭한 안을 갖고, 그것이 명안이라는 자신이 서 있다면, 그것을 실천에 옮기는 자금 입수가 어렵다는 일은 좀처럼 없다고 당신은 어디선가 말씀하신 듯합니다. 그러나 얼마나 많은 발명가가 그 발명의 가치에 깊은 확신을 가지고서도 자금이 없기 때문에 아깝게도 빛을 보지 못 하였을까요?

【답】 수많은 과학자들이나 그 밖의 지식계급이 새로운 생각을 받아들이기는커녕 검토조차 시원스럽게 하지 않는 것을

나는 슬프게 생각합니다. 텔레파시에 대해서는 위대한 전기과
학자의 사실상 전부—에디슨, 스타인메츠, 데슬라 및 마르코
니 등—가 깊은 관심을 가지고 있었습니다. 알렉시스 키어렐
박사도 역시 그것을 믿고 과학자들이 생리 현상 연구와 다름
없는 태도로 연구해야 한다고 공언하고 있습니다.

 그렇지만 그들은 이미 확립된 이론을 뒤집어놓는 새로운
사고방식은 일체 받아들이려 하지 않습니다. 흔히 발명가가
당면하는 것은 이러한 '닫혀진 마음'입니다. 발명가들 중에는
조용한 내향성의 사람이 많아 세상 일에는 익숙하지 못합니
다. 그는 신념과 확신을 가지고 몸 안에 있는 창조력이 그 발
명의 완성에 조력해 줄 수 있는 마음의 그림을 그립니다. 그
렇지만 그 발명을 세상에 인정시키고, 실행 자금을 입수하려
는 것과 같은 일에는 그와 똑같은 신념과 확신을 갖지 못하
고 있습니다. 그에게 있어서 그러한 일은 전혀 다른 세계의
것입니다. 그는 발명을 두세 명의 자본가와 상담해서 거절당
하면 실망하여 절망적으로 되고 실패의 그림을 그립니다.

 이렇게 해서는 발명가는 그 몸 안에 있는 창조력을 자기에
게 불리하게 작용시킬 따름입니다. 당신이 인생의 한 부분에
서 '훌륭한 영상 능력자'라고 해서 바로 다른 부분에서도 훌
륭한 능력자라고는 속단할 수 없습니다. 이와 같은 바른 사고
방식이 당신의 모든 욕망이나 요구에도 수반되는 것이 필요
합니다. 일부 사람들은 돈에 대한 감각—돈을 잡는 비결을 알
고 손에 닿는 건은 모두 돈으로 바꿘다고 하는 느낌—을 마
음의 눈으로 보고 있습니다. 그러나 그와 같은 사람이 다른
부분에서도 똑같이 성공한다고 한 마디로 말할 수 없는 수가

많습니다. 예를 들면, 건강이 나쁘다든지, 사람 사귀기를 잘하지 못한다든지, 생활에 행복이나 만족이 없다든지, 그 밖에 잘 되어가지 않는 면이 많이 있습니다. 발명가들은 그 발명한 아이디어를 팔고 시장에 내어 운영자금을 구하는 일 등에 대하여도 발명을 발전과 완성으로 이끈 것과 다름없는 열의와 인내와 영상을 만드는 정력을 갖고 대하지 않으면 안 됩니다. 그렇게 할 수 있게 되면 몸 안에 있는 '그것'을 바르게 이용하는 사람이 모두 성공하는 것처럼 그의 일도 분명히 성공합니다.

(문) 참다운 제육감이나 예감, 가끔 하게 되는 희망적인 사고방식이나 욕구, 그리고 감정의 표현 등 현재의식적인 것을 우리는 어떤 식으로 구별할 수 있습니까?

(답) 참다운 제육감이나 직감의 번쩍임, 또는 예감과 같은 것들을 식별하는 것은 연습입니다. 참다운 예감은 하등의 반성이나 숙려(熟慮)를 기다리지 않고, 당신의 마음의 의식분야에 뛰어 들어옵니다. 당신은 돌연 무언가를 알아차리거나 또는 느낀다, 혹은 무언가를 하고 싶다, 하고 싶지 않다든지 또는 경계해야 한다, 조사해야 한다, 점검을 요한다는 등 충격적인 인상을 받습니다. 자기 분석을 해 보면 당신이 받은 충동이 당신이 말씀하신 희망적인 사고방식이나, 과도한 욕구나, 감정에서 생겨난 것인지 어떤지가 용이하게 결정됩니다. 당신은 제삼자의 입장에서 객관적으로 보고, 먼저 이런 식으로 생각해야 합니다. "스스로 속이고 있다. 나는 이런 인상이 필요해서 내 상상력을 자극하고 이런 일을 스스로 자초했다.

도저히 참다운 제육감이라고는 생각되지 않는다. 나의 불안이 연극을 만들어 무언가 일이 일어날 듯하다는 그릇된 감정을 나에게 가져왔다."

그러면 당신은 그 중에서 참다운 예감이나 제육감은 완전히 다른 느낌의 것임을 알게 됩니다.

당신이 언젠가 참다운 예감을 얻었을 때의 느낌을 잊지 않고 있다면, 다른 올바른 직감의 섬광을 인정할 수 있게 되기는 별로 문제가 안 되겠습니다. 그리고 불안이나 바라는 대로의 욕망으로부터 일어나는 그 밖의 감정은 벌써 채택하지 않게 될 것입니다. 당신의 몸 깊숙이 있는 마음이 당신을 위해 중요한 직감의 섬광을 보내어 봉사할 수 있고, 또 기꺼이 봉사하려 하고 있음을 믿어야 합니다. 만일 그렇게 믿지 않으면, 그 힘은 당신에게 그런 일을 해 주지 않습니다.

그런 마음가짐이 모처럼 찾아올 직감의 충동을 봉쇄해 버린 것입니다. 당신의 과도한 욕망, 당신에게 있어서 좋지 않다고 생각되는 것 등을 컨트롤하여 공포나 불안을 제거하는 방법을 배우십시오. 그러면 당신의 직감의 힘으로부터 오는 지도나 보호를 받아들이기 쉽고, 또한 인정하기도 훨씬 용이하게 될 것입니다.

(문) 저의 문제는 돈이라든지, 상업이라든지, 명성 등을 얻고 싶다는 게 아닙니다. 저는 너무 심하게 말을 더듬기 때문에 그것이 무엇보다도 걱정입니다. 당신의 철학을 배운 이래 말하기가 어느 정도 수월하게 된 듯합니다. 이러한 성과가 하룻밤 사이에 이루어지기를 바랄 수 없다는 것은 잘 알고

있습니다만, 그래도 될수록 빠른 편이 좋습니다. 저의 괴로움을 구해 주는 잠재의식의 놀라운 작용을 될수록 서두르려면 어떻게 하면 좋을지 가르쳐 주실 수 없습니까?

〔답〕 당신이 살아오는 동안 언제부터 더듬거리게 되었는지를 생각해 낼 수 있다면 그 때까지 거슬러 올라가 생각해 보십시오. 그것이 어떤 감정적인 체험에서 시작되었는지? 당신의 부모나, 누군가에게서 비난을 받아 마음에 깊이 못 박히게 된 것은 아닙니까? 당신의 집안에서 누군가 중요한 사람에게 위압되어 그 사람 앞에선 입이 말을 듣지 않는다거나 하는 일은 없습니까? 누군가에게 억압되었다든지, 놀라게 되어 일시적으로 말을 할 수 없었던 일은 없었습니까?

당신의 과거의 무언가에 고민의 근본적인 원인이 있다는 뜻입니다. 그것을 찾아 내십시오. 그러면 당신을 붙잡고 있는 감정 반응의 속박으로부터 빠져나올 수 있습니다. 그 밖의 대책으로써는 더듬거리는 것은 보통 신경질이라든지, 너무나 걱정되는 일에 관련이 되므로 말하기 전에 2, 3초 동안의 여유를 두는 것입니다. 잠시 호흡을 한 다음, 하고 싶은 말을 하기 전에 먼저 그 말을 마음에 그려 보십시오. 마음 속에서 당황하여 말을 찾으면 당신의 주의력이 언어중추(言語中樞)에서 빗나가고 그 때문에 말이 정체하거나 뒤범벅이 되어 혼란을 일으키게 됩니다.

한 마디 한 마디를 명료하게 말하는 힘을 회복하는 것은 주로 적당한 타이밍과 마음의 눈으로 보는 힘에 있습니다. 그 둘이 협조하면 이윽고 곤경을 탈출할 수 있을 것입니다.

(문) 저는 당신의 가르침을 굳게 믿습니다. 이 힘을 좋은 일에 활용하고, 나쁜 일에는 사용하지 말라고 말씀하셨습니다. 그것을 저는 믿습니다. 그 때문에 여쭙고 싶습니다. 이 힘을 도박에 이용해서는 안 될까요? 저는 직업적으로 도박을 하는 사람은 아닙니다. 하지만 많은 사람들과 마찬가지로 어느 정도까지는 도박을 합니다. 이 힘을 본격적으로 사용하거나, 이따금 사용할 수는 없을까요?

(답) 유명한 투시가(透視家) 프레드릭 매리언은 저서 <나의 마음의 눈>에서 그의 초감각에 의한 인식력이나, 사람의 마음을 읽는 훌륭한 힘, 미래의 예견 등 많은 체험을 서술하였고, 또 주(株)의 매매의 기회를 감지하는 데 그 힘을 활용하는 시도를 다루고 있습니다. 그는 잠시 동안은 성공하였습니다만, 어느 순간부터 그 힘은 작용하지 않게 되었습니다. 이 때 그는 '올바른 추측'을 내리는 데 필요한 예감을 얻고 싶어 안절부절못합니다. 그 예감의 하나하나에는 얼마 얼마의 돈이 걸려 있기에 그러는 것입니다. 이해타산에 너무 급급하다 보니 마음의 평정을 잃어버리고, 초조감에 사로잡혀 버린 것입니다.

어떤 노름꾼도 강압 하에서는 직감을 발휘할 수 없습니다. 내가 아는 대다수의 노름꾼들은 파산하게 되어 죽거나, 혹은 흥망성쇠가 고르지 못한 사람들뿐입니다. 그들은 그만 둘 줄을 모릅니다. 도박판에서 하나의 성공은 수많은 실패로의 채찍질입니다. 만일 그들이 더욱 커다란 '인생의 승부'에 몸을 던져 그만큼 무리도, 긴장도 없이 행동하고 있다면 그들의 직감력도 훨씬 바르게 작용하고 신뢰할 수 있을 것입니다. 인생은 어떤 의미로 보면 하나의 도박입니다. 자기의 몸 그 자체를 이기는 목적일 겁니다. 나라면 날마다 운 좋은 룰렛*에 나 자신의 일생을 겁니다. 도박이란 당신을 해치고 나아가서는 다른 사람을 해치는 것입니다. 손해를 보더라도 지장이 없는 사람들만이 도박을 하더라도 큰 지장이 없습니다. 당신은 어느 쪽에 속합니까? 왜 도박 이외의 것에 당신의 일생을 걸지 않습니까? 그 편이 위험이 없고, 한평생을 두고 보더라도 이익이 훨씬 크고, 만족도 훨씬 많은 것입니다.

(문) 제가 할 수도 있고, 또 하고 싶다고 생각하는 많은 일 중에 어느 것을 결정했으면 좋은가에 대하여 저에게 참고가 될만한 형식, 또는 안을 보여 주시지 않겠습니까? 제가 바라는 것은 상업상의 일에 대해서입니다.

(답) 그것은 당신의 판단 이외에 아무도 옳은 방법을 알려줄 수는 없습니다. 명상할 때 당신의 마음 깊숙이 있는 창조하는 힘에 부탁하십시오. '내 장사의 찬스는 어디 있는지 결정해 다오. 내 재능이나 과거의 경험 중 어느 것을 장래를 위해 이용할 수 있을까?'라고 그 그림을 잠재의식에게 부여하십시오. 그리고 그 신념과 확신을 가지고 일상 업무를 계속하십시오. 그러는 동안 적당한 때에 직감의 번득임이나, 혹은 별안간 찾아오는 깨달음이 있고, 어느 방향으로 향해야 하는지, 어떤 방법으로 해야 하는지 등을 당신은 알 수 있게 됩니

---

* 룰렛(roulette) 도박 도구의 한 가지. 직사각형의 테이블 중앙에 1에서 36까지 숫자를 기입한 구멍 뚫린 원반을 놓고, 원반을 돌리면서 작은 공을 던져 원반을 정지시켰을 때에 공이 들어간 구멍의 숫자로 내기를 함.

다. 그 때까지는 안심하고 기다리십시오. 대답은 반드시 찾아
옵니다.

(문) 어떤 책에서는 경험에서 배울 것이라고는 아무것도
없다고 말합니다. '경험에 의하여 배운다.'는 것은 무얼 말하
는 것인지 설명해 주십시오.

(답) 사물을 어떻게 다루어서는 안 된다든지, 또는 어떻게
다루어야 하는가 등은 경험에 의하여 알게 됩니다. 다른 사람
의 경험으로부터 유리하게 배울 수도 있습니다. 만일 사람들
이 걸어온 길이 잘못되어 있어 그것이 막다른 골목으로 끝나
고 있다는 것을 안다면 무엇 때문에 당신은 그와 같은 길을
가겠습니까? 인생과 그 어려운 길에 맞서려면 당신의 지성과
신념을 작용 시키십시오

(문) 저는 '시끄러운 분쟁'에 몰려 수령에 빠져 들어가고
있습니다. 이런 혼미한 마음가짐에서 어떻게 하면 벗어날 수
있을까요?

(답) 당신의 혼란을 구할 길은 다만 복잡한 사고를 제거
하는 일입니다. 당신은 너무나 작고 중요성이 없는 쓸데없는
사소한 사건에 깊은 주의를 기울여, 마음 속으로 그것들을 커
다란 산과 같은 장애로 보는 좋지 못한 습관에 젖어 있습니
다. 그것이 당신이 말하는 '시끄러운 분쟁'이 되어 현재의식
속을 뛰어다니고 있습니다. 그렇기 때문에 당신 곁으로 다가
오려는 참다운 사고에 방해가 되고 있습니다. 끊임없이 혼란
의 습격에 위협당하는 느낌이 있는 것은 그러한 장애로 인한

사고 탓입니다. 말하자면 그런 사고에 압도되어 지금이라도 삼켜버릴 듯한 공포를 당신에게 준다는 뜻입니다. 의사의 힘을 가지고, 그 사고를 몰아내십시오. '혼란아, 안녕. 나는 규제와 질서를 환영한다.'라는 의사의 한 마디로 마음은 편하게 됩니다.

(문) 만일 상상이라는 것이 사람의 사고를 그르치기 쉽다면, 상상은 대개 인생의 시스템에 있어서 어떤 역할을 가집니까?

(답) 상상을 바른 방향으로 향하게 하면 해롭기는커녕 오히려 큰 이익이 된다는 것은 다른 어느 것에도 못지않습니다. 당신에게 반드시 좋은 일이 일어난다고 상상하십시오. 그러면 드디어 당신이 상상력으로써, 마음에 그린 대로의 일이 나타납니다. 나쁜 일을 상상하면 언젠가 반드시 좋지 못한 결과를 초래합니다.

(문) 상상력이란 무엇입니까?

(답) 상상력이란 당신이 바라는 것을 내부의식에 형성되게 하는 마음의 작용입니다. 그것은 사고를 자극하여 몸 속에 있는 창조하는 힘에 활기를 주고 당신의 욕구를 확실하게 하는 하나의 도구입니다.

(문) 우리가 기도하는 때는 몸속에 신의 힘, 또는 신의 존재를 마음의 그림으로 그리든지 또는 사고하고 있으면 됩니까? 마음 속의 힘을 느끼면서 그저 기도하는 것만으로 좋습

니까?

(답) 사람들은 신과 부처에 대하여 각각 다른 생각을 갖고 있습니다. 당신에게 있어 더욱 만족스럽고 의미 있고, 도움이 될 만한 것을 당신의 명상이나 기도의 대상으로 선택하면 됩니다. 나는 기도할 때 인간의 모습을 한 신이 하늘의 어딘가 거대한 왕좌에 앉아 있는 것을 그리며 기도하지는 않습니다. 그러한 어린애 같은 사고방식으로부터는 벌써 먼 옛날에 성장해 버렸습니다. 지금은 신의 일부인 위대한 지성이 사람마다의 정신 속에—당신이나 내게도—머물고 있는 것으로 확신하고 있습니다. 당신은 사랑하는 사람을 얼마나 가깝게 느끼고 있는지, 또 현재도 느끼고 있는지를 상기할 수 있을 것입니다. 당신이 지금 사랑하는 사람에 대하여 생각하면 그 사람 또는 그녀를 곧 마음에 떠오르게 하여 당신과의 관계가 얼마나 긴밀한가를 느낄 것입니다. 그와 다름없이 신에게도 똑같은 접근감이나 친근감이 솟구치도록 배려하십시오. 당신이 그 또는 그녀의 일을 생각하면, 그 사랑하는 사람의 실재를 알게 되고 조금도 의심을 품지 않을 겁니다. 그와 같이 신의 실재를 알고, 또한 느끼십시오. 그러면 당신의 몸 속에서 신의 존재를 느끼게 됩니다. 그 신의 힘은 결코 당신을 버리는 일 없이 당신의 명상과 기도를 거기에 향하게 할 수 있고, 그 때부터는 언제나 바른 대답을 기대할 수 있음을 알게 될 것입니다.

(문) 제가 당신의 말을 바르게 해석하고 있는지 어떤지를 알아 봐 주십시오. 먼저 욕구하는 것의 그림을 만든다. 그리

고 경건한 몸가짐으로 그 그림을 자기의 마음 속에 반영시킨
다. 이 마음의 반영을 언어로 표현하여 계속 암시한다. 몸 안
의 창조하는 힘이 우리에게 성과를 가져다주기 위해서는 아
무래도 그렇게 해야만 한다는 뜻이겠군요?

(답) 그렇습니다. 당신은 그 조작을 잘 묘사했습니다. 먼
저 당신의 욕구를 마음의 영상으로 만들고, 그것을 마음 깊숙
한 곳에 있는 상상의 스크린에 의사의 힘으로 영사합니다. 동
시에 당신에게 그 그림이 실질적인 인생에 있어서 구체화하
도록 강한 암시를 통해 그 염원을 몸 안에서 불태웁니다. 동
시에 당신에게 그 그림 속에서 보는 그림은 이미 달성된 것
이고, 이제야 현실에 다가가고 있다는 신념을 갖도록 해야 합
니다.

(문) 세상이 이처럼 혼란한 때, 어떻게 하면 우리는 번민
이나 불안을 느끼지 않고 살 수 있을까요? 어떻게 하면 불쾌
한 사건을 마음에 받아들이지 않게 할 수 있습니까?

(답) 그 사건들을 냉정히 객관시하는 것입니다. 불안이나
번민은 세계의 사태를 개선할 수 없고, 당신의 어려운 문제도
해결하지 못합니다. 사실 불안이나 번민은 용기를 꺾고 미로
로 말려들게 하여 건강과 행복을 파괴합니다.

당신 자신은 지금 상당히 건강하고 행복하다고 인정하십시
오. 또 당신에게도, 세상에도 도움이 되는 것은 항상 적극적
이고, 쾌활하고, 낙관적인 태도라는 사실도 인정하십시오. 가
장 좋은 것을 바라고 있으면서 가장 나쁜 생각을 하고 있는
데, 그것을 그만 두십시오. 최악의 사태는 좀처럼 일어나는

것이 아닙니다. 만일 당신이 최선을 바라면 사물은 반드시 기대하는 것보다 좋은 것이 되어 나타납니다.

[문] 어떻게 하면 가장 빨리 휴식할 수 있습니까?

[답] 될 수 있으면 홀로 되어 안락의자에 앉든지, 침대에 누워 당신의 육체도, 현재의식도 다같이 내던져 버립니다. 양팔을 올린 후 다시 그것을 편히 내립니다. 의자나 침대에 당신의 온몸의 중량을 지탱하고 이런 암시를 하십시오.

"내 몸은 편안하다. 내 손과 발은 더할 나위 없이 편안하다. 내 정신상태도 몽롱하다. 내 몸에서 힘은 하나도 남김없이 빠져나갔다. 이제 손가락 하나도 움직일 힘조차 없다. 내 몸은 편안하다. 내 마음도 편안하다."

이런 암시를 계속하면 이윽고 온몸이 가벼워지고 떠오르는 듯한 느낌이 됩니다. 몸이 편하게 되면, 고도의 긴박감이나 불안감이나 번민, 그 밖에 평정치 못한 감정에 기인하는 마음 속의 긴박감을 모두 추방하십시오. 마음 속의 하얀 스크린에 잔잔한 연못이나 마음을 부드럽게 하는 평화스런 경치를 그리십시오. 그리고 그 속에서 휴식을 취하고 있는 당신의 모습을 상상하십시오. 그렇게 되는 순간 당신은 쉬고 있습니다. 연습을 계속하면 이렇게 휴식하는 데 2분을 요합니다.

[문] 우리는 암시에 의하여 꿈을 꾸고, 꿈 속에서 직감력에 무언가 필요로 하는 해결을 보여주도록 부탁할 수 있습니까?

[답] 고렇습니다. 많은 일이 꿈을 통하여 당신에게 알려집

니다. 또 몸속에 있는 창조력은 꿈을 하나의 매체로 하여 당
신이 바라는 과거, 현재, 미래의 사건을 제시해 줍니다. 물론
그 꿈의 해석을 내리기는 곤란하다는 사실도 따릅니다. 왜냐
하면 꿈은 생리적 또는 정신적인 혼란으로 말미암아 이루어
지는 일도 많기 때문입니다. 수면에 의하여 현재의식이 쉬고
있을 때는 그 틈을 타서 그날의 달갑지 않은 사건이 극적 효
과를 가지고 비뚤어진 꿈이 되어 재현되기도 합니다. 이러한
형태의 꿈은 어떤 큰 의미를 갖는 것은 아닙니다. 정신 병리
학자에게는 이런 꿈도 불안이나 걱정, 그 밖의 감정상의 불균
형의 원인을 조사하는 데 도움이 됩니다만, 당신에게는 전연
의미가 없습니다.

그러나 그 밖의 꿈에서 당신은 미래에 발돋움하여 가까운
장래에 당신에게 일어날 일의 전부, 또는 일부를 직감력이 선
명한 꿈으로 나타내 줍니다. 미래의 사건이 일어나는 원인은,
과거의 사건에 대한 당신의 반응에 의하여 당신 스스로 일련
의 인과관계를 맺고 있기 때문입니다. 이러한 꿈은 당신이 주
의 깊게 생각해야 합니다. 그러면 그런 식으로 전개되어 오는
사태에 관하여 어떻게 대처하는가, 또는 그것을 피하는가 등
에 대한 대책을 세우는 실마리가 되는 것입니다. 이러한 꿈의
경고는 적당히 존중하여 그에 대처하면 당신의 사고를 바꿀
수 있고, 나아가서는 장래에 출현할 사건, 그 자체까지도 개
선하는 일이 있습니다.

잠자리에 든 후 긴급한 문제의 해답을 수면 중에 얻고 싶
을 때는 몸 속의 '그것'에 암시를 주어 해답을 가져오도록 할
수 있습니다. 연습이 쌓이면 무엇이건 당신에게 있어서 중요

한 알림을 꿈 속에서 받을 수도 있습니다. '나는 잠자면서 통지를 듣기도 했다. 깨어 보면 회답이 마련되어 있었다 !'라고들 말하는 사람이 많은 것은 바로 그것입니다.

(문) 인간은 그 운명의 주인공이며, 자신 외에 책임을 질 사람은 없다고 당신은 말씀하시고 있습니다. 그렇다면 당신은 운명론을 어떻게 생각하고 있습니까? 천재지변으로 불의의 사고를 당하는 경우에 대해서는 무슨 말씀을 하시겠습니까? 사실 생명력이라는 것은 몇 천 가지 모양으로 흘러나오고, 흘러가는 대하(大河)로써 우리가 태어나기 훨씬 전부터 '운영되고 있는 우주의 한 사업'이라고도 할 수 있는 것입니다. 따라서 그 조작, 직능, 활동 등에 붙여 우리의 손으로 무언가 현저하게 컨트롤을 할 수 있을 것 같지는 않게 보입니다. 이것은 어떻게 대답할 수 있겠습니까?

(답) 모름지기 사람은 그 운명의 주동적인 역할을 충실히 수행해야만 합니다. 인간은 누구나 내부에 있는 창조하는 힘을 사용하여 상상을 뛰어넘는 높이까지 올라갈 수 있는 잠재력을 갖고 태어났습니다. 그러나 인간은 지금까지 집단으로서는 이 힘을 지적으로 크게 사용하고 있지는 않지만, 개인으로서는 숭고한 위업을 이루고 있다 할 수 있습니다.

헬렌 켈러를 생각해 보십시오. 그녀는 귀머거리, 벙어리, 장님이라는 일견 극복할 것 같지도 않은 핸디캡을 극복하여— 즉, 불완전한 육체임에도 불구하고 위대한 정신을 발현하여— 온 인류에게 영감적 감명을 주고 있습니다. 그녀는 분명히 '운명의 주인공'입니다. 또 전기의 마술사로 일컬어지는 스타인 메츠를 생각해 보십시오. 그는 기형의 머리, 꼽추, 절름거리는 다리, 허약하기만 한 몸을 가졌습니다. 그런데도 이 기형의 머리가 위대한 뇌수를 안고 있었습니다. 그를 아는 사람은 모두 그의 몸에 대하여 조금도 개의치 않았다고 말합니다. 이 남자의 인간으로서의 뛰어남이 모든 결함을 시계(視界)로부터 멀리해 버렸던 것입니다. 베토벤에 대하여도 생각해 보십시오. 운명은 그에게 추한 얼굴과 작곡가로서는 치명적인 결함을 안겨 주었습니다. 그는 귀머거리였습니다. 그런데도 베토벤의 정신은 음악 사상에 있어서 가장 숭고한 악보를 일마든지 내놓았습니다. 그의 음악은 영구불멸의 것으로 아직 세상에 태어나지 않은 수많은 사랑들에게까지도 커다란 희열을 안겨 줄 것입니다. 베토벤의 장엄한 제9심포니에 귀를 기울일 때, 그 청중 가운데 과연 몇 사람이나 이 위대한 작곡가는 스스로 작곡한 음악의 단 일절도 들을 수 없었다는 사실을 알고 있을까요! 이 위대한 악성(樂聖)은 확실히 '운명의 주인공'이었습니다.

운명은 미리 정해져 있는 것이 아닙니다. 스스로의 노력에 의하여 창조되는 것입니다. 우리는 운명론자들과 설전(舌戰)을 하면 어떤 방법으로도 이기지 못합니다. 그들은 부지런히 일하여 성공하는 사람을 보고, 그런 운명을 타고났기 때문에 성공했다고 합니다. 사람이 불의의 사고로 죽으면 죽을 운을 타고났다고 합니다. 잘살다가 못살게 되는 것도, 남에게 속아 파산한 것도 모두 운명 탓으로 돌립니다.

그들의 말에 따르자면 사람의 살아가는 모습이 보이지 않는 어떤 힘에 의하여 정해져 있다는 말이 됩니다. 말하자면 가난하게 살 사람은 아무리 **노력해도** 못살게 되고, 부자로 살 사람은 빈둥거려도 부자가 **된다는** 것입니다.

이런 엉터리에 속아서는 자기 운명에 주동적 역할을 할 수가 없습니다.

분명히 말하지만 인간은 인력이 미치지 않는 커다란 힘의 희생이 되기 위해 이 세상에 내버려진 부스러기는 아닙니다. 인간은 스스로 주인공을 연출하는 데 필요한 모든 힘을 내부 의식에 갖추고 있습니다. 인간은 그것을 발견하여 사용하는 방법을 알면 됩니다. 그뿐입니다.

당신의 호운을 사람들에게 나누어라

인간은 누구나 무거운 짐과 결점을 지니고 있다.
그러므로 타인의 도움 없이는 살아나갈 수 없다. 우리는
서로서로 위로와 충고와 협의로써 도와 나가지
않으면 안 된다. **-톨스토이-**

좋은 것을 입수하면 그것을 사람들과 나누어야 한다. 그렇게 하면 친구를 만들고 다시 많은 사람들을 당신에게 끌어들인다. 자기 일만 생각하고 있어서는 안 된다. 기회가 있으면 다른 사람도 돕고, 고성능 폭약인 TNT에 대하여 알도록 해 주어야 한다. '그것'이 당신에게 한 것처럼 다른 사람에게도 작용하도록 해 주어라. 다른 사람을 밀어 올리는 것은 당신 자신을 그 이상으로 높이 밀어 올리는 것이다.

그들 중에는 '그 힘'에 대하여 이해를 하지 못하고, 또 이해할 생각도 없이 당신에게 거만하다든지, 자기본위라든지, 이기적이라고 묘한 비판을 하는 사람도 있을 것이다. 그러나 그런 일에는 개의치 않는 게 좋다. 그런 사람들은 조소자(嘲笑者)이다. 당신이 가는 길에 바윗덩이를 놓아 진보를 방해하려

는 사람들이다. 당신은 항상 그러한 형의 사람을 이르는 곳마
다 볼 수 있을 것이다. 그들은 어떤 뚜렷한 목적도 없이 다만
당신을 끌어내리려고 한다.

이해하는 사람들은 당신이 주려고 하는 것을 기꺼이 받을
것이다. 그리고 당신의 호의에 감사하며 평생의 친구로 지낼
것이다. 머리가 좋은 사람들은 당신이 눈부신 향상을 이루는
것을 보고 당신을 주시하기 시작할 것이며, 그들에게 없는 무
엇을 당신이 가지고 있는지 그 비밀을 알려고 할 것이다.

나는 당신에게 '그것'을 손에 쥐어 주었다. 단단히 당신 곁
에 끌어들여 꼭 쥐고 첫발을 내디디라.

미국의 일류 평론가인 조오지 진 네이잔은 <삶의 철학>이
란 저서에서 이런 말을 하고 있다.

"인생에 있어서 성공한 사람은 '내가 아는 한' 누구나 물질
적인 의미에서 먼저 자기의 일을 생각하고, 최후에도 물론 자
기의 일을 생각지 않는 사람은 없다."

네이잔이 어떤 의미로 이 말을 했는지 나는 정확히 알지는
못한다. 그러나 성공하는 사람은 남을 도울 틈도 없을 만큼
자기 일만을 생각한다는 의미로 말한 것은 아니라고 생각한
다. 왜냐 하면 만일 당신이 내가 서술한 바에 따르고 성공으
로의 길을 걷는다면, 당신은 무자비한 행동을 할 수는 없다고
생각하기 때문이다.

아마도 당신은 가고 싶은 곳으로 가기 위해 다른 사람을
넘어뜨리고 가려고 하지는 않을 것이다. 당신의 목적을 위해
친구나 동료를 배신하는 일을 하지는 않을 것이다. 속이고,
거짓말하고, 기만에 의하여 목적지에 닿으려 하지도 않을 것

이다.

당신의 몸 속에서, 당신의 몸을 통하여 작용하는 창조하는
힘은 당신을 위해 그렇게 하고, 또 그렇게 하고 싶어 기다리
고 있다. 당신은 진보함에 따라 사람들을 위해 좋은 일을 베
풀게 될 것이다. 뭔가 서비스하여 사람을 기쁘게 하고, 무언
가 친절이 담긴 사려 깊은 일을 하게 한다. 누군가가 당신에
게 무엇인가를 해 준 일의 답례로 당신도 1마일이나 2마일
거리를 걸어가서 다른 사람들을 돕는다. 그런 일을 하면 당신
의 친절이 다른 사람을 움직이게 되어, 그도 당신을 위해 무
언가 해 주려고 노력하는 것이 눈에 보일 것이다. 이것은 전
혀 타산적이라고는 할 수 없다. 단순한 원인과 결과에 불과하
다.

안드레 암펠은 어떤 법칙을 알게 되었다. 그는 전자기(電磁
氣)에 그것을 적용하여 '흡인(吸引)의 법칙'이라 이름하였다.

나란히 같은 방향으로 달리는 흐름은 서로 끌어들인다.

아주 간단하지 않은가? 또 당신이 경우를 벗어나 적의를
가지고 있으면, 다른 사람도 역시 경우를 벗어나 적의를 품는
다. '반대방향으로 흐르는 평행한 흐름은 서로 반발한다.' 그
것은 오랜 옛날부터의 사실로 겨우 일곱 문자로 된 작은 한
구절로 매듭지어져 있다. '유(類)는 유를 낳는다.'

당신이 봉사를 하면 커다란 배당을 받는다. 거기에 불가사
의는 없다. 바로 그대로다.

철, 철, 철! 여기에 서술된 대로 행하고, 몇 번이고 되풀이하고, 되풀이하여 올바르게 사고하는 기술을 완전히 익히지 않으면 안 된다.

팀워크를 하면 힘이 여유 있게 나온다. 당신의 사고방식에 다른 사람을 끌어들이라. 어떤 종류의 싸움에서도 열의 있는 팀워크를 하면 항상 전진에 전진을 거듭하게 되고 자신과 결의가 용솟음친다.

만일 당신이 내가 지금 말한 정신을 간직하여 그대로 실행에 옮기면 당신은 패배를 모른다. 그리고 거기에 모두가 동조하고, 게다가 다른 사람들도 데려와서 궤도에 진입할 수 있게 되면 세계는 당신의 것이 된다.

하버트 N. 키어슨은 이렇게 말했다.

"불안이 사고를 지배하면 아무것도 할 수 없다. 그렇지만 사람이 불안을 마음으로부터 제거하면, 세계는 그 사람의 손아귀에 쥔 밤(栗)이다."

"약간의 돈을 잃은 것은 아무것도 아니다. 그렇지만 희망을 잃으면, 용기와 야심을 잃으면 그야말로 불구가 된다."

미국의 강철왕 찰스 M. 슈워브는 언젠가 이렇게 말했다.

"많은 사람들은 세일즈맨이란 샘플 몇 개를 가지고 돌아다니는 사람으로 생각하지만, 실은 우리는 언제나 세일즈맨이다. 사고, 계획, 정력, 열의 등을 우리는 만나는 사람마다 판다."

이와 같이 모든 일이 그런 것이다. 특히 상품을 판다는 것을 생각하면 그것은 참으로 그렇다. 왜냐 하면 당신은 사람들과 만나지 않으면 안 되기 때문이다.

　만난다고 내가 말하는 것은 물론 얼굴과 얼굴을 마주하는 것이다. 주문을 받으며 걸어 다니는 시대는 오늘날 다시 사라져 가고 있다. 사실 미국에는 그러한 시대는 전에 없었다. 그리고 앞으로 다가오는 시대에는 더욱더 없을 것이다. 두드러지게 훌륭히 성공하는 사람은 자진해서 '갑자기 나타나' 즐겨 사람들을 만나는 사람이다. 그것을 꺼리고, 게을리 하는 사람은 스스로 낙오되어 간다.

　당신은 적자생존이라는 근본 법칙을 회피할 수는 없다. 그러므로 주문을 받는다는 사고방식을 버려야 한다. 판매를 성공시킨다는 것은 당신이 생각하는 대로의 일을 고객에게도 생각하게 하는 일이다. 항상 직접 얼굴을 마주하는 게 가장 좋은 방법이다. 당신은 고객의 면전에서 그의 반대에 주의를 기울이고 있지 않으면 안 된다. 예로부터의 '원인과 결과의 법칙', 그리고 그때 그때 일어나는 사태들에 당신을 적응시켜 가지 않으면 안 된다.

　만일 당신이 팔고 싶다면(성공하기로 뜻을 세운 당신은 당연히 그와는 다르겠지만), 내가 말하는 것을 마음에 간직해 두어야 한다. 잠재의식은 사고, 제육감(第六感), 영감 등을 홍수처럼 가져와서 당신을 바르게 인도할 것이다. 분주한 사람과도 면회할 수 있는 방법을 가르쳐, 그 혼자만의 사실(私室)로 당신을 인도하고, 더구나 그 곳에 들어가면 차분하고 침착하게 해 주는 것이다.

　용기를 내라. 상대자에게 당신의 인간으로서의 박력을 느끼게 하라. 당신의 화제에 마음을 써라. 열의를 보여라. 위축되지 말라.

당신은 그와 대등하다. 특히 당신은 그가 가지고 있지 않은 것을 가지고 있을 것이다. 그것은 당신이 팔려고 하는 물건에 대한 최고의 자신, 최상의 신념이다. 그런가 하면 또 만일 상대자가 성공한 사람이라면 그도 역시 박력을 가지고 있을 것이다. 그렇다면 응대는 50대 50으로 걸맞음을 잊지 마라.

그를 경시하지 마라. 당신을 그에게 가볍게 보이지 않게 하라. 공통의 이익을 바탕으로 하여 대하라. 그에게서 호감을 받도록 하라, 그가 당신을, 당신이 그를 좋아하게 되면 결과는 거의 성공이다. 당신이 그에게 판다는 것을 처음부터 마음에 간직해 두고, 당신은 그에게 팔려고 하고 있다. 인생에 있어서 둘도 없는 당신의 소중한 신조는 물론 이렇다.

"내가 착수하는 일은 무엇이나 성공한다. 내가 착수하는 일은 무엇이나 다 성공이다!"

반복, 되풀이하고 철, 철, 철! 언제나 몸 속에 있는 힘을 내어 전진한다. 되풀이하고 되풀이하여 당신이 일하는 모습을 마음으로 보는 것이다. 몇 번이고, 몇 번이고 영상으로 보아야 한다. '나는 할 수 있다!', '나는 한다!', '나는 믿는다. 그러므로 그렇게 된다!'

당신의 친구들도 끌어들이라. 연구 그룹을 만들어 체험을 교환하라. 실패를 토의하여 당선의 잘못은 무엇이었던가를 꼬집어 내라. 실패의 파편들을 모아 다시 한 번 돌진을 시도해 보라. 왜 그 일이 계획대로 되어가지 않았는가에 대하여 서로 비판하라. 새로 알게 된 사실도, 성공의 기쁨도 서로 나누어야 한다. 텔레파시 [精神感應] 의 실험을 하라. 영상 그리기, 마음의 통일, 감각력 등 당신의 힘을 뻗는 실험을 하라. TNT

를 친구에게, 가족들에게, 같이 일하는 동료들에게 보이고, 그들 사이에 이 힘의 전개에 대하여 흥미를 일깨우라. 고성능 폭약인 TNT에 관심을 갖는 중핵(中核)이 마지막에는 각 지구에 생기고, 수많은 남녀들이 바른 사고의 힘을 연구하고 실용하면, 나라나 세계를 가리지 않고 사람들의 마음과 가슴에 위대한 변화가 일어날 것 이다.

이 책을 가진 사람은 각각 하나의 중핵을 만들고, 그 친구나 동료를 모아 일을 시작하면 된다. 그것은 한 사람, 한 사람의 독자나 연구자가 모두 이해해 줄 것을 기다리고 있다.

이 책은 당신이 이해하는 친구나 사랑하는 사람에게 작용을 미치게 하는 데 도움이 된다. 당신에게 박차를 가하게 한다. 그러기 위한 책이다. 여러분은 서로 검토하고, 돕고, 격려하는 게 좋다. 마음 깊숙이 있는 힘은 이야기하면 할수록, 사고나 연구를 하면 할수록 당신의 인생에 보다 많은 일을 한다.

힘을 작용시켜라. 손을 쉬지 마라. 당신이 지금까지 가져오던 문제의, 또 장래 당면하게 될 문제의 모든 해결은 이미 당신의 마음 속에 있다.

당신의 행복을 다른 사람들에게 나누어 주는 것을 잊지 마라. 나눔에 따라 당신은 백 배, 천 배의 보답을 얻는다. 왜냐하면 좋은 일은 증식하기 때문이다. 그것은 어디까지고 부풀어 가서 더욱더 많은 좋은 일을 처음에 나누기 시작한 사람에게 가져다 준다.

지속하라. 신념을 가져라. 마음의 눈으로 보라. 당신에게 실패는 없다.

힘은 당신의 것이다 - 사용하라

나는 나의 운명의 주인이다.
나는 나의 정신의 우두머리다.
- 윌리암 어네스트 헤일레이 -

고성능 폭약 TNT는 지구를 뒤흔든다

이 책은 당신을 위해 모든 약속을 이행한다. 그렇지만 당신은 두 번 세 번 되풀이하여 읽어 하나하나의 문장, 하나하나의 낱말에 이르기까지 모두 이해하지 않으면 안 된다. 그리고 온 정성을 기울여 그 원리나 기술을 실지로 활용하지 않으면 안 된다. 그것들을 당신의 일상생활에 채택하면 그대로 효과를 나타낸다. 당신이 필사적인 열의를 가지고 임하면, 전체적인 시스템은 매우 간단한 것임을 알게 될 것이다.

이 책의 연구를 마치고 내용을 돌이켜보면, 사고의 반복과 적극적 행동의 사이언스가 갖는 위력은 굉장한 것임을 알 것이다.

당신이 어둡고 침체된 생각을 갖느냐, 밝고 적극적인 생각을 갖느냐에 따라, 똑같은 생각의 되풀이에 의하여 당신 자신을 위로나 아래로도 '철, 철'하고 가져갈 수 있다. 더구나 당신 자신이 강력하게 되면 될수록 당신의 생각을 가지고 다른 사람들에게 힘을 미칠 수 있다.

그러므로 다시 한 번 당신에게 경고하려는 것은 당신의 그 힘을 그릇된 일에 사용하지 않도록 거듭 주의할 필요가 있다. 당신의 마음을 건설적인 사고로 보기 시작하라. 당신이 갖는 모든 정력을 기울여 보내는 사고에 따라 행동하라.

뒤돌아보는 것은 그만 두어라. 지금까지 어디 있었는가를 당신은 알고 있다. 당신이 알고 싶어 하는 것은 이제부터는 어디로 가느냐이다. 당신의 장래를 위해 안목을 기르라. 주변에는 당신을 위해 많은 기회가 기다리고 있다. 내부에 있는 창조하는 힘, '그것'의 컨트롤과 방향의 설정방법을 차차 익힘에 따라 당신의 직감력으로부터는 미래의 단편이 반짝여 눈에 보이게 될 것이다.

> 미래라는 것은 시간과 인과(因果)의 연장으로써 육체에 있는 오감(五感)이 미치지 않는 데 있다.

이 한 구절을 잘 연구하라. 읽고, 또 읽으라. 당신의 오늘의 사고를 원인으로 하여 운동을 일으킨 힘은 내일에는 당신에게 결과를 안겨 준다. 자연은 진공상태를 싫어한다. 어딘가에서 무언가 시종 일어나고 있다. 그리고 일어난 일은 하나하나 그 주위의 모든 것에 작용한다. 위대한 과학자들은 다음 한 구절로 모든 것을 갈파하고 있다.

"우주에서 단 하나 항구적인 것은 만물이 변화한다는 사실 뿐이다."

당신의 몸 속의 세포는 날마다 수백만씩 죽어가고, 또 수백만씩의 세포가 새로 생겨나고 있다. 낡은 사고는 죽거나 퇴색하고 새로운 사고가 마음 속에 생겨난다. 오늘의 당신은 어제의 당신과 몸도 마음도 같은 사람일 수는 없다.

몇 세기를 통하여 혜안(慧眼)을 가진 사람이 수없이 있어서 미래를 내다볼 수 있었고, 스스로 사고를 일깨워 이윽고 세계의 인류에게 어떤 일이 일어나는가를 직감적으로 감지할 수 있었다.

시인 알프레트 테니슨 경(卿)은 1892년에 이 세상을 떠난 사람이지만, 그가 한 말이 마치 예언자(豫言者)와 같지 않은가?

사람의 눈이 미치는 한 나는 미래를 내다보았다.
온갖 불가사의로 가득한 세계의 덧없음이여.
마(魔)의 돛을 단 상선대(商船隊)는 하늘에 넘실거리고,
보라빛 황혼의 길잡이는 귀한 물건을 안고 떨어져 온다.
하늘을 뒤흔드는 환성이 오르고,
파란 하늘 중천에서 싸우는 하늘의 해군은 죽음의 이슬을 내린다.
북소리는 드디어 가라앉고 깃발을 말아,
인류의 의회, 세계연맹은 이루어진다.

당신은 이것을 읽고도 아직도 인간이 미래를 보는 능력을 의심할까? TNT는 상상을 초월한 힘을 갖고 현재와 미래에 걸쳐 작용할 수 있다. 당신이 마음으로 창조하는 것은 언제라도 그 순간부터 현실화를 시작한다. 당신이 사고를 바꾸어 거기에 중지 명령을 발하지 않는 한 현실화로의 발걸음을 옮겨 간다. 설사 중지시키더라도 이전의 그릇된 생각의 해독은 역시 당신의 몸에서 나온다. 하늘에 가득한 '마음의 에테르(ether)'속에 존재하고 있는 똑같은 다른 사고와 손을 잡는다. 우주의 의식은 지구에 사는 수십억 인류의 선과 악의 사고로 가득하다. 그들 사고의 격심한 파동은 개인의 파동에 영향을 미치고, 개인은 이 사고의 커다란 무리들과 여러 갈래로 동조하거나 헤어지거나 한다.

마음의 힘은 언젠가는 무기의 힘과 대등하게 되고, 혹은 그것을 능가할 것이 틀림없다.

온 인류가 TNT의 힘을 건설적인 길로 향하면 하룻밤 사이에 인류에게 무엇이 일어나겠는가를 생각하라! 그러면 모든 어려운 문제는 순식간에 해결되고, 인도적인 발명은 온 인류의 온갖 고삐를 모두 풀어헤쳐 버리고 서로 진실로 이해하고 용인하게 될 것이다. 미국의 교육가 제임스 러셀 로우엘은 말했다.

"사람은 누구나 몸에 익힌 일로써 살고 있다. 일은 언제나 거기에 있다. 일하는 사람이 쓰는 도구도 거기에 있다. 노동으로 뿔처럼 단단해진 손은 축복받는다."

게으른 사람은 항상 곤경을 당한다. 가치 있는 일을 하지 않는 사람에게 참다운 행복은 없다. 당신은 희망하는 것도, 희망하는 것을 얻는 방법도 손에 넣어 인생의 만족과 행복에 이르는 길을 이제 알지 못하면 안 된다. 하지만 당신은 다른 사람의 자유로운 의사표시와 올바른 욕구 달성도 배려하지 않으면 안 된다.

당신은 세상에 홀로 살 수는 허다. 당신이 사람에게서 도움을 받는 것처럼 당신도 사람을 도와야 한다. 당신은 자기를 위해, 친구나 가족을 위해, 당신이 사는 지역을 위해, 국민을 위해 소중한 인물이다. 당신이 인생에 있어서 행하고 있는 일도 중요하다. 각자가 맡은 일은 위대한 세상의 조직 속에 필요한 한 임무를 담당하고 있다. 좋은 일은 결코 물거품처럼 사라지는 것이 아니다.

당신이 최선을 다하면, 일이나 책임이 무엇이 되었든 당신은 날마다 당신 자신과 당신의 주위를 원만하게 이끌어가게 된다.

몸 속에 가지고 있는 이 힘을 알고, 그 사용법을 알았으면, 국가 또는 국가간의 문제가 당신의 힘에 미칠 사태를 우려하여 시간과 힘을 낭비할 필요는 없다.

당신이 사는 그 장소에 힘을 기울이면, 그것으로 당신의 임무는 족하다. 다른 사람들도 각자의 일에 분발하게 된다.

기억하라. 오래도록 지속되는 사고는 모두 행동으로 이끌어지고 계속하여 성과를 낳기에 이른다.

그러므로 이 책은 언제나 가까운 곳에 두고 될 수 있는 대로 자주 읽고 연구하라.

연습, 연습, 연습. 철, 철, 철! 올바른 생각을 날마다 실증하고 다른 사람들을 일깨우라. 이렇게 하는 것은 당신이 사는 세계를 보다 좋고, 보다 편안한, 보다 행복한 곳으로 가기 위해 맡은 바를 다하는 것이 된다. 당신의 몸에서 나오는 좋은 일은 널리 세계를 퍼져가고, 이르는 곳마다 바른 생각을 하는 사람에게 공감을 준다.

처음에는 사물이 모두 좋았었다. 인간이 스스로 그것을 나쁜 것으로 만들었다. 당신에게도 좋지 못한 일이 강요될 것이다. 당신이 좋은 일을 하면 그 보수도 좋을 것이다. 소망하는 대로의 것으로 될 수 있고, 소망하는 것을 무엇이나 입수할 수 있게 된다. 사고와 노력과 대가를 적시에 지불하면 된다. 이제 당신은 열쇠를 손에 넣었다. 진정으로 당신이 무엇인가를 원한다면 불가능은 없다. '그것'을 바르게 사용하기만 한다면……

고성능 폭약 TNT는 지구를 뒤흔든다. 그것은 바로 당신의 몸 안에 있는 힘이다!

신념의 위력

2022년 9월 10일 인쇄
2022년 9월 15일 발행

지은이 | 클라우드 M. 브리스톨
옮긴이 | 최 봉 식
펴낸이 | 김 용 성
펴낸곳 | 지성문화사
등   록 | 제5-14호 (1976. 10. 21)
주   소 | 서울시 동대문구 신설동 117-8 예일빌딩
전   화 | 02) 2236-0654
팩   스 | 02) 2236-0655